光緒庚寅秋九月杭州許氏榆園校刊

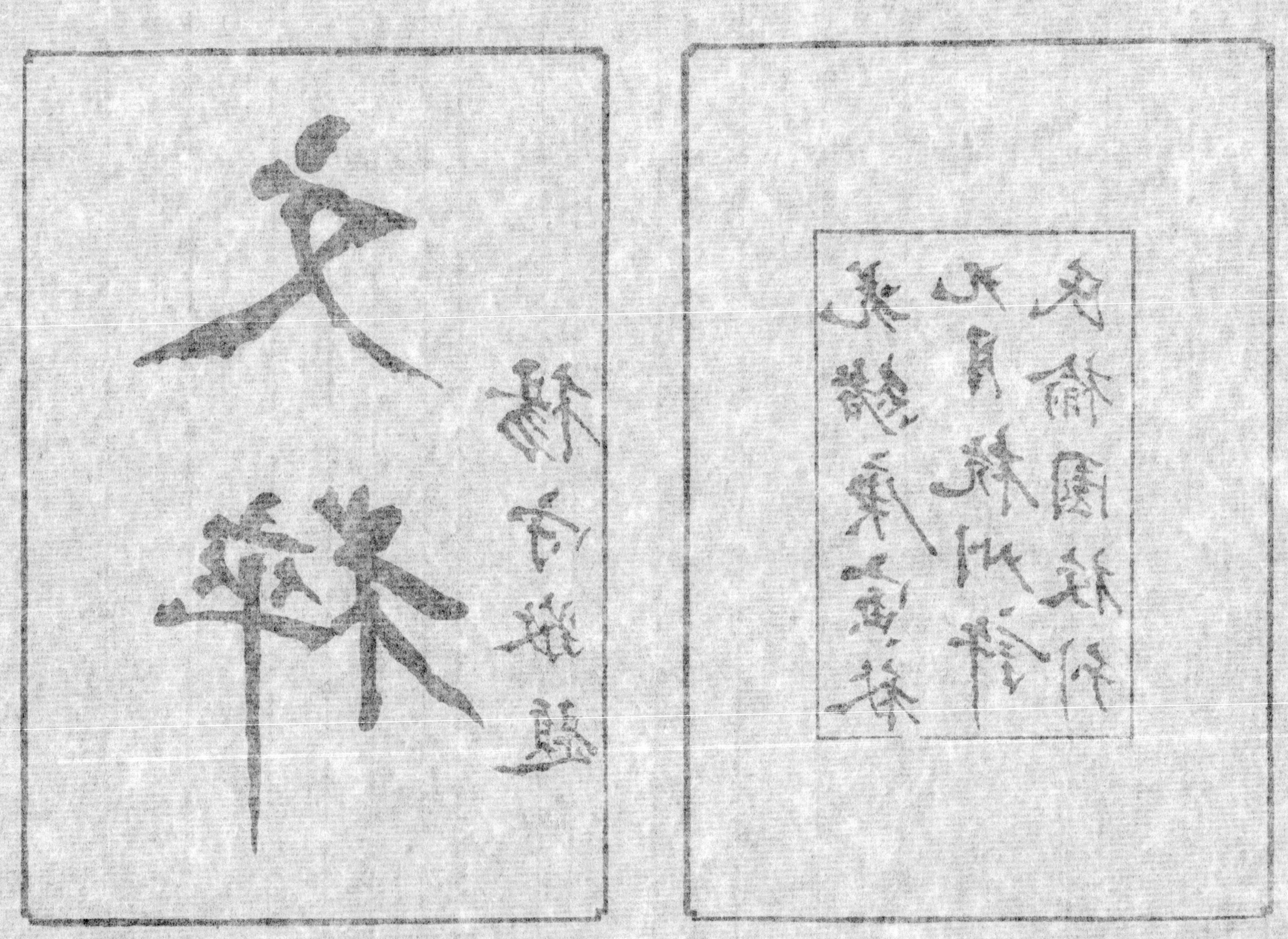

文粹補遺卷弟六

吴江 郭麐

文二 總十一首

祭率府孫錄事文 陳子昂

維年月日朔某等謹以云云古人歎息者恨有志不遂如吾子良圖方興青雲自致何天道之微昧而仁德之攸孤忽中年而顛沛從天運而長徂惟君仁孝自天忠義由己誠不謝於昔人實有高於烈士然而人知信而必果有不識於中庸君不慚於貞純乃洗心於名理元常既沒墨妙不傳君之逸翰曠代同仙豈圖此妙未極中道而息懷衆寶而未攄永幽泉而掩魄嗚呼哀哉平生知己疇昔周旋我之數子君之百年相視而笑宛然昨日交臂而悲今焉已失人代如此天道固然所恨君者枉天當年嗣子孤藐貧窶聯翩無父何恃有母惸焉嗚呼孫子山濤尚在稽紹不孤君其知我無恨泉途嗚呼哀哉尚饗

祭楊盈川文 宋之問

維大周某年月日西河宋某謹以清酌脯羞之奠敬祭於楊子之靈曰自古皆死不朽者文兆河流液西岳吐雲叶神通契降精於

君伏道孔門遊刃諸子精微博識黃中通理屬詞比事宗經匠史玉璞金渾風搖雲起聞人之善若在諸已受人之恩許之以死惟子堅剛氣陵秋霜行不苟合言不苟忘大君有命徵子文房余亦叨天隨君頡頏同邁北禁並拜東堂志事俱得形骸兩忘載罹寒暑貧病洛陽裘馬同弊老幼均糧自君出守南浮江海余嘗苦饑今日猶在之子妙年香名早傳從來金馬夙昔崇賢門庭若市翰墨如泉千載之後聞而凜然死而不亡問余何傷傷予命薄益友零落生平之言幽顯相託痛君不嗣匪我孤諸君有兄弟同心異體陟岡增哀歸葬以禮旅櫬飄零於洛之汀我之懷矣感歎入冥見子之弟類子之形悼往心絕慰存涕盈古人有言一死一生昔子往矣追送傾城今子來也乃知交情惟郭是戚有崔不易來哭來祭哀文在席帷席可依冰雪四滿家人哀哀賓徑微斷今我傷悲情慹昔時子文子翰我緘我持子宅子兆我營我思子有神鑒我言不欺我有絜酒子其歆之我亦引滿儻昭神期魂兮歸來聞余此詞

爲伎人祭元十郎文　張說

維神龍三年月朔日故伎人伏十善謹以清酌少牢之奠致祭於元十郎之靈滌流茂樹萍蘺是依山崩川竭魚鳥何歸恭維主君高才達節賞心樂事風流不絕歌豔露華舞迴春雪幸持此技承君餘悅綺羅脂粉嬌上春自言終代保情親寧知一旦君恩斷繁弦清管爲何人懷主君之異顧願徇命於九泉迫夫人之嚴旨遂投足於他門生有十年之愛沒無一日之恩雖强容飾於新奉心摧絕而不敢言君子廣德仁心必徧疇昔與君琴尊愇宴永懷蕙歎俯憐荼苦錫以時珍申哀故宇廞車既展祖奠斯開悲歌助挽長袖承杯平居好此魂來不來心思往而莫遂足欲返而遲迴終天地於此訣毒煩寃而難裁

還京次睢陽祭張巡許遠文　高適

維乾元元年五月日太子詹事御史中丞高適謹以清酌之奠敬

祭於故御史中丞張許二公之靈中丞體質貞正才掩羣豪詩書自負州縣徒勞惆悵雄筆辛勤寶刀時平位下世亂節高賊臣通逆國步驚騷兩河震恐千里嗷嗷投袂灑泣據鞍鬱陶全譙入宋收梓捍曹心繫魏闕志清武牢帝曰嗟爾龍光豹韜憲台戎幕持斧擁旄嗚呼予亦忝竊統茲介胄俄奉短書至變狂寇裹糧訓卒達曙通晝軍乃促程書亦封奏遂發趫勇俾驅鳥獸將無止心兵亦死鬭賊黨頻蹙我師旋漏十城相望百里不拔紜紜嘯聚兵鋒亦湊積薪爲梁決岸成寶嗚呼當此虎敵豈無強鄰常時肝膽今日越秦堅守半歲絕糧數旬梯椽秣馬煮紙飼人病不暇拯殁無全身煎熬甲胄喙齧膠筋慷慨艱險淒涼苦辛嗚呼我辭淮楚將赴伊洛途出茲邦悲躔舊郭邑里灰燼城池墟落何九拒之崢嶸皆二賢之制作聲蓋天壤氣橫遼廓讓死爭先臨危靡卻嗚呼闕四字天亦難論萬夫開壁一旅纔存寢羸既竭力弱相吞陷阱織路梯衝棧門土壕水合木柵雲屯居卽其弊突無其奔煙雲劒戟逼側紛昏與求生而害義盜抗節以埋魂嗚呼悖逆殲潰干戈將止海岳澄清朝廷郅理封功列爵懷黃拖紫傷哉二賢不預於此嗚呼孀婦伶俜愛子追贈方榮賞延茲始寂寂梁苑悠悠睢水黃蒿連接白骨塡委思壯志於冥寞問遺形於荆杞列祭空城一悲永矣

祭幽獨君文

李道昌

嗚呼萬古邱陵化無再出君是何人能間詩筆何代而亡誰人子姪曾作何官是誰仙室寂寞夜臺悲乎白日不向紙上石中隱出桃源三月綠草垂楊黃鸝不囀猨聲斷腸不題姓字竊辨賢良嗚呼痛哉歎惜先賢空傳經史終無再還青松嶺上嵯峨碧山

祭伏波將軍文

李觀

嗚呼伏波之生好兵自喜幼有壯節騰聲出仕定冊歸漢讜俞帝旨算無失畫功伐可紀破斬徵側實平交趾來征蠻溪未卒而死小人赤口曷本於理薏苡南還明珠謗起乃收侯印爵不及子唯

德不忘愛畱社里築廟以祭人敬其鬼久而若新千載不毀詰詰嗤嗤易白成緇孔子義失勛華不慈曾氏殺人母投於機居竊厥嫂陳平不疑申生眞毒晉有驪姬是以無極巧舌伍奢族夷孟子傷讒凄兮作詩公失其所梁松實爲何獨將軍自昔如斯故士有歷百代而不滅者嘗被訕於當時苟窺心而不怍雖棄置其奚悲赫赫聖帝嘉賢命祠酒牢既列神乎降思尚饗

衡州祭者里渡溺死百姓文 呂溫

維元和五年歲次庚寅十月戊辰朔十七日甲申刺史呂某遣故衙前虞候何防以豚酒蔬果致祭蘇昇陳演李寬泰陳甫魯餘之靈爾等五人感余誠信力輸公稅爭赴先期溪山阻深潦水暴至不忍欺我忘其險艱州令未明津渡不謹致此淪逝咎由使君興言涕流痛念何及聊申薄酹兼致微贈代納殘稅皆余俸錢魂而有知諒此深意尚饗

祭處士李君文 符載

良友三人來自蜀川身棲廬嶽氣厲雲天至寶多脆靈芝不堅君與王生早落窮泉當時食貧窆禮從權殯宮蕭索二十餘年在風塵中觸故牽纏每懷曩昔深衷惻然頃亦有意祇承付託訪君姻族獲歸京洛賢舅緇褐外弟罷弱實恐歲時遂移舟壑神本尚簡禮貴適時卽其故地而窀穸之衛玠短命伯道無兒千秋拱樹我心傷悲嗚呼我李處士已而已而

祭故處州李使君文 杜牧

維會昌五年歲次乙丑某月日池州刺史杜牧謹遣軍事押衙王鏶謹以清酌庶饈之奠敬致祭於亡友李君起居之靈憶昔相遇爾未生鬚京師衆中跡猶甚疎一言道合盡寫有無我於宣城忝跡賓吏君隨幕府東下繼至復與友人故辟予威邂逅適願如相爲期放論劇談各持是非攻强討深張矛彀機怒或絶赫終成笑嬉於後七年君拜左史來蜀西川我官補闕云愧我先拜章請代盍私我焉我有家事乞假南來循行里第君出離杯令弟在席悲

爲詼諧耳熱膽張觥聯相狹我歸墜馬一支幾摧君來我坐側倚旁偎持觴酸吟戲口猶開云君我殺以酒相加忌我之才及我南去君刺池陽我守黃岡葭葦之場惟君書信前後相望辭意纖悉勉我自强律我性情補短裁長一函每發沈憂幷忘幸會交代沿檝若飛江山九月涼風滿衣爲別幾時多少懽悲志業益廣不可窺知長人之術首爲吏師縱酒十日舞袖僛垂語公之餘且及其私許以季女配我長兒莫云稚齒可以指期各負少壯輕後會時寓居宣城書札日馳一疾不起訃來猶疑嗚呼哀哉惟先僕射儉德冠古凡二十年四領茅土所至所治曰人父母官俸餘半委庫不取京師里第蓬茅數畝慶餘生君曰天酧補何聰明才智兮不使施爲何付與之多兮折之何驟天陽地陰高厚相伴上有河漢鈲天橫流百刻晝夜平分不饒皎不陰晦一月幾朝二男三女俗率如此三男二女無有其地君子小人鼻目並列與小人校會無百一於百一中以秀奪實凡稟陰陽生於其間陽常不勝賢者宜

難自古皆然欲復何言撫孤一弔柏棺一哭咫尺不遂涕下相續期於沒齒盡力嗣子嗚呼哀哉伏惟尚饗

祭小姪女寄寄文　李商隱

正月二十五日伯伯以果子弄物招送寄寄體魄歸大塋之旁哀哉爾生四年方復本族旣復數月奄然歸無於鞠育而未深結悲傷而何極來也何故去也何緣念當稚戲之辰孰測死生之位時吾赴調京下移家關中事故紛綸光陰遷貿寄瘞爾骨五年於茲白草枯荄荒塗古陌朝飢誰飽夜渴誰憐爾之栖栖吾有罪矣今吾仲姊返葬有期遂遷爾靈來復先域平原卜穴刊石書銘明知過禮之文何忍深情所屬自爾沒後姪輩數人竹馬玉環繡襜文褓堂前堦下日裏風中弄藥爭花紛吾左右獨爾精誠不知所之況吾別娶已來胤緒未立猶子之誼倍切他人念往撫存五情空熱嗚呼滎水之上檀山之側汝乃曾乃祖松檟森行伯姑仲姑冢墳相接汝來往於此勿怖勿驚華綵衣裳甘香飲食汝來受此無

少無多汝伯祭汝汝父哭汝哀哀寄寄汝知之耶

奠陸龜蒙文　吳融

大風吹海海波淪漣涵爲子文無隅無邊長松倚雪枯枝半折挺爲子文直上巔絕風下霜晴寒鐘自聲發爲子文鏗鏘杳清武陵深閬川長晝白閒爲子文渺茫岑寂豕突禽狂其來莫當雲沈鳥没其去倏忽膩若凝脂輭於無骨霏漠漠澹涓涓春融冶秋鮮妍觸卽碎潭下月拭不滅玉上煙

文粹補遺卷弟六

文粹補遺卷第七

吳江 郭麐 纂

議 辨 讚 箴 銘 誡 說 總十八首

昊天上帝及五帝異同議

長孫無忌

依祠令及新禮並用鄭元六天之議圜丘祀昊天上帝南郊祭太微感帝明堂祭太微五天帝臣等謹桉鄭元此義唯據緯書所說六天皆謂星象而昊天上帝不屬穹蒼故注月令及周官皆謂圜丘所祭昊天上帝爲北辰星曜魄寶又說孝經郊祀后稷以配天及明堂嚴父以配天皆爲太微五帝考其所說殊乖謬特深桉周易云日月麗乎天百穀草木麗乎地又云在天成象在地成形足

明辰象非天草木非地毛詩傳云元氣廣大則稱昊天據遠視之蒼然則稱蒼天此則天以蒼昊爲體不入星辰之例且天地各一是曰兩儀天尙無二焉得有六是以王肅羣儒咸駮此義又檢太史圜丘圖昊天上帝外別有北辰座與鄭義不同得太史令李淳風等狀稱昊天上帝圖位自在壇上北辰自在第三等與北斗並列爲星官內座之首不同鄭元據緯書所說此乃羲和所掌觀象制圖推步有徵相沿不謬又檢史記天官書等太微宮有五帝者自是五精之神五星所奉以其是人主之象故況之曰帝亦如房心爲天皇之例豈是天乎周禮云兆五帝於四郊又云祀五帝則掌百官之誓戒唯稱五帝皆不言天此自太微之神本非昊天之祭又孝經惟云郊祀后稷別無圜丘之文王肅等皆以爲郊卽圜丘圜丘卽郊猶王城京師異名同實符合經典其義甚明而今從鄭說分爲兩祭圜丘之外別有南郊違棄正經理深未允且檢吏部式惟有南郊陪位更不別載圜丘式文既遵王肅祠令仍行鄭義令式相乖理宜改革又孝經云嚴父莫大於配天下文卽云周公宗祀文王於明堂以配上帝則是明堂所祠正在配天而以爲但祭星官文違明義又按月令孟春之月祈穀於上帝左傳亦云凡祀啓蟄而郊郊而後耕故郊祀后稷以祈農事然則啓蟄郊天自以祈穀謂爲感帝之祭事甚不經今請憲章姬孔取王去鄭四郊迎氣存太微五帝之祀南郊明堂廢緯書六天之義其方丘祭地之外別有神州謂之北郊分地爲二既無典據理又不通亦請合爲一祀以符古義仍並請循附式令永垂後則謹議

王去榮不宜赦罪議　韋見素

法者天地大典帝王猶不敢擅殺而小人得擅殺是臣下之權過於人主也去榮既殺人不死則軍中凡有伎能者亦自謂無憂所在暴橫爲郡縣者不亦難乎陛下爲天下主愛無親疏得一去榮而失萬姓何利之有於律殺本縣令列於十惡而陛下寬之王法不行人倫道屈臣等奉詔不知所從夫國以法理軍以法勝有恩

無威慈母不能使其子陛下厚養戰士而每歲少利豈非無法邪今陝郡雖要不急於法也有法則海內無憂何況陝郡乎無法則陝郡亦不可理得之何益而去榮未拔陝郡不以之存亡正法有無家國乃爲之輕重此臣等所以區區願陛下守貞觀之法

議復府兵　　李泌

府兵平日皆安居田畝每府有折衝領之折衝以農隙教習戰陳國家有事徵發則以符契下其州及府參驗發之至所期處將帥按閱有教習不精者罪其折衝甚者罪及刺史軍還則賜勳加賞便遣罷之行者近不踰時遠不經歲高宗以劉仁軌爲洮河鎮守使以圖吐蕃於是始有久戍之役武后以來承平日久府兵浸墮爲人所賤百姓恥之至蒸熨手足以避其役又牛仙客以積財得宰相邊將效之山東戍卒多齎繒帛自隨邊將誘之寄於府庫晝則苦役夜縶地牢利其死而没入其財故自天寶以後山東戍卒還者什無二三其殘虐如此然未嘗有外叛内侮殺帥自擅者誠以顧戀田園恐累宗族故也開元之末張説始募長征兵謂之彍騎其後益爲六軍及李林甫爲相奏請軍皆募人爲之兵不土著又無宗族不自重惜忘身循利禍亂遂生至今爲梗鄉使府兵之法常存不廢安有如此下陵上替之患哉陛下思復府兵此乃社稷之福太平有日矣

不載元韶事迹議　　路隨

凡功臣不足以垂後而善惡不足以爲誡者雖富貴人第書其卒而已陶青劉舍許昌薛澤莊青翟趙周皆爲漢相爵列通侯而良史以爲齷齪廉謹備員而已無能發明功名者皆不立傳伯夷叔齊莊周墨翟魯連王符徐稚郭泰皆終身匹夫或讓國立節或養德著書或出奇排難或守道避禍而傳與周邵管晏同列故富貴者有所屈貧賤者有所伸孔子曰齊景公有馬千駟死之日人無得而稱焉伯夷叔齊餓死於首陽之下人到於今稱之然則志士之欲以光耀於後者何待於爵位哉富貴之人排肩而立卒不能自垂於後者德不修而輕義重利故也自古及今可勝數乎

公獄辨　楊烱

縉紳先生牧於東郡縄屬吏有公於獄者某適次於座乘閒諮其所以爲公之道先生曰吾每窺辭牒意其曲直指而付之彼能立具牘無不了吾意亦可謂盡其公矣某居席之末不敢以非是爲決及退而辨其公且傳曰君所謂否臣獻其可君所謂可臣獻其否是欲彌縫其不至也及君可亦可君否亦否故平仲非邱據踵君之意叔向譏樂王鮒從君者也所以知詢於愚或有得也尺先其寸或有長也皆庸其涓滴將助其廣大也況末世纖狡內荏外剛烏有不盡其辭而能必究其情乎使居上者得其情屬踵而詰之可謂合於理未足言公也若居上者異於見遠於理亦隨而鞫之取協於意所謂明於不法烏可謂公哉且不師古之言非不可爲也爲之不能遠不由禮之事非不可行也行之不能久故君子盡心法古動必本禮將遠而不泥久而不亂也若乃告諸獄任意以爲明其屬徇己以爲公是使懷倖者有窺進之路挾邪者有自

容之門矣矧蓁棘之內辛楚備至何須而不克而況承執政指其所欲哉嗚呼欲人之隨意者吾見亂其曲直矣樂人之附己者吾見汨其善惡矣而猶伐其理譽其公無乃瞽者衒別諸五色乎

壽顏子辨　皇甫湜

土與水火風雜爲千品萬殊大凡太虛之中形而有者皆主於土揮而動者皆主於風液而通者皆主於水躍而養者皆主於火天地之與稊米醯雞之與應龍雖殊大小必質四者具四者之性然後爲一物抑四者能爲質不能爲知者也動焉四不動焉四四者能質不能知有虛而靈者合焉以爲物知凡四者之合而有也而合乎是爲知若角若鱗若飛若走舉爲其屬不合於是爲無知若草若木若金若石舉爲其屬最靈者人人之中爲心心之知爲神人之生也質乎土風水火而心主焉其於死也氣旋於虛而反於土風水火之性各旋其所質固化而無矣若心之知則未知其處焉而人見其質之化也謂知亦從而亡豈不愚甚矣哉彼繇心所

以知者虛而靈虛而靈其不可爲無也較然矣其質也游冥而化遷者也夫心猶水也水清則撓而濁者不存存則不清心猶鏡也鏡明則塵埃不止止則不明聖與愚受於初一也聖人瑩其心而室其誘是以能照天下之理故其心清而定愚者負其心而薄於外是以閉天下之理故其心塵而結清而定者離其質也玲瓏乎太虛之中動而合則爲文王仲尼順而安則必始終天地塵而結者離其質也狂攘乎太虛之中轉而合於有則爲禽爲獸其於人也爲愚爲凡於草木者無所不爲矣雖欲少安得乎推是而言則彭祖爲夭而顏子爲壽盜跖爲殺而比干爲終

梁丘據讚　柳宗元

齊景有嬖曰梁丘子同君不爭古號媚士君悲亦悲君喜亦喜曷賢不讚卒讚於此媚余所仇激讚有以梁丘之媚順心狎耳終不撓厥政不嫉反已晏子躬相梁丘不毀諮其爲政政實允理時覩晏子食寡肉缺味憂其不飽行召使賜中心樂焉國用不墜後之嬖君罕或師是導君以諛聞正則忌讒賢協惡民蠹國圮嗚呼豈惟賢不逮古嬖亦莫類梁丘可思又況晏氏激讚梁丘心焉孔瘁

藥師如來繡像讚并序　呂溫

藥師如來像者予妻蘭陵蕭氏之所繡也貞元二十年予奉德宗皇帝之命西使吐蕃辭高堂而出萬死介單車而馳不測國故遠至戎情猜阻坎險一遇星霜再周夫人盥饋之餘膏鉛不御日亂蓬首坐銷蕣華異域無期良時自晚始怨冬釭之久而紅芳已闌方苦夏景之長而碧樹將落書委塵篋跡淪苔階漸昧音容孰知存沒驚寤不告因夢難徵觸處成端沿情多緒黄昏望絕見偶語而生疑清旭意新聞疾行而誤喜循環何極刻舟靡尋浩隔理求宵非計得如聞西方有金界極樂藥師大雄散琉璃之寶光照河沙之國土能度羣品出諸幽厄一念必應萬感皆通是用濬發慧根妙求眞相斷鳴機躬織之素染懿筐手績之絲盡瘁莊嚴彰施采繡纏苦心於香縷注精意於鍼鋒指下而露洗青蓮思盡而雲

宋編纂古心於香經計精靈於誠鋒指下而靈[illegible]言通思盡而雲

根妙[illegible]圓土相斷鳴[illegible]之[illegible]于[illegible]注[illegible]流

[illegible]之圓能知[illegible]品由[illegible]幽[illegible]師人[illegible]用[illegible]志

[illegible]

梁丘據讚　柳宗元

[illegible]

以知者濡而靈[illegible]通為無也[illegible]其實也[illegible]而化遺者也

開白日然後練時潔室華設珍供夕炬傳照晨爐續煙齊獻至誠泣敷懇願遂得慈舟密濟覺路潛引當道場發念之日是荒裔來歸之辰幽贊冥符一何昭焯乃知織迴文之錦無補離憂登望歸之臺空爲廢日與夫心諧妙理手結勝因進則有濟度之功退不離清淨爲本從長擇善豈同日而言哉予感其志效爰用讚敘雖在妻子亦無愧詞藏諸閨門永以傳信讚曰

地萬里兮天一極往無由兮來不得解脫願兮慈悲力五色繡兮黃金飾澄氛昏兮圓相開湛水月兮蓮花臺慈眼睠兮猶心迴死別離兮生歸來海爲田兮劫爲灰身念念兮無窮哉

酒功讚并序　白居易

晉建威將軍劉伯倫嗜酒有酒德頌傳於世唐太子賓客白樂天亦嗜酒作酒功讚以繼之其詞云

麥麴之英米泉之精作合爲酒孕和産靈孕和者何濁醪一樽霜天雪夜變寒爲溫産靈者何清醑一酌離人遷客轉憂爲樂納諸

喉舌之內滔滔泚泚醍醐沆瀣沃諸心胸之中熙熙融融膏澤和風百慮齊息時乃之德萬緣皆空時乃之功吾嘗終日不食終夜不寢以思無益不如且飲

詩賦讚　司空圖

知道非詩詩未爲奇研昏練爽戛魄淒肌神而不知知而難狀揮之八垠卷之萬象河渾沇清放恣縱橫濤怒霆蹴掀鼇倒鯨鑱空擢壁琤冰擲戟鼓煦呵春霞溶露滴鄰女自嬉補袖而舞色絲屢空續以麻絇鼠革丁丁焮之則穴蟻聚汲汲積而成垤上有日星下有風雅歷詆（誅一作）自是非吾心也

溫泉箴　張說

東山少連曰元冥氏之子曰壬夫妻祝融氏之女曰丁芊俱學水仙是謂溫泉之神焉帝命之救萬靈盪滯結腑臟達膚腠泄下人多癩之上帝是崇忤飛廉氏之佚女嫉之常欲大恩其功故入溫泉必齊肅洗心戒以防患恕以利物含生之疾我願除祓二神嘉

之吹湯激邪珠連漏累潏汩揚華此其效也若入溫泉僻心穢行惡言淫形居食失節動出躁輕二神醜之不匡人命飛廉佚女以裾襟人是生疰芒風瘍眩癘之病夫有意之醫照合神理無恆之醫身爲慾使莫之益傷之者至矣是以君子愼其微也

文選樓銘 幷序　楊夔

文選樓者梁昭明太子選文之地時逾四代年將五百清風懿號藹然不泯況廣陵乃隋室故郡遺事斯存求之於今陳跡盡滅斯猶巍巍久而益新其不由以學而立道者道則不朽以文而經業者業則不磨乎宏農子經於是樓提筆路絕且慮夫不文不典者肆而處乃泣以銘云

峩峩萬宇匪歌則舞美哉斯樓獨以文修自古名貴不以華致雖超千古靡有顚墜孰堪其登必精必誠孰可以居必賢必明無聚優以爲娛無習伎以稱榮吾恐其素德懷辱於冥冥

兩觀銘　陸龜蒙

兩觀雉門雖僭天子聖人在朝姦佞誅死姦首擲地姦血如水政不得亂國是以理下及千祀澆風四起內荏外賢舉世稱美赫奕皇都象魏天倚豈無姦邪佩玉蘂蘂聖人弗生兩觀如砥以石鑱辭著乎闕里

隋鼎銘　皮日休

隋氏有鼎其器非古以詐爲金以賊爲鑄以虐火煎四海以毒氣蒸九土天假唐力扛之仁地以澤撲虐火以德銷毒氣旣折其足又齧其耳噫戲聖王無畜茲器

臨終口授銘 幷序　王元宗

於戲昔有唐氏作吾中遇而生姓王名元宗字承眞本瑯琊臨沂人晉丞相文獻公十代孫陳亡過江先居馮翊中徙江都其肇錫考系則國史家牒具矣降年五十有五直垂拱二年四月順大衍之數奄忽而終終後可歸我於中頂舊居之石室斯亦墓而不墳神無不在耳且伊洛之間迺昔者周南之域吾祖上賓之地吾家

得姓之鄉反葬中岳幾不忘本也舉手長謝亦復何言示人有終乃爲銘曰

馮馮太清悠悠太寧混混無我其中有精忽然爲人吾何以停歸於眞宅此室冥冥不封不樹絕待忘情道無不在神無不經幽傳祕訣默往仙京萬物共盡時哉乃形理通寂感陰聚陽并知常得姓無狀無名(字闕一)體藹石言追洛筆去來千洞驅馳八靈風雲聚散山水虛盈谷神不死我本長生

口兵誡(并序) 劉禹錫

余讀蒙莊書曰兵莫憯於志莫邪爲下鋏然知志(一作智)士之傷夫生也他日讀遠祖中壘校尉書曰口者兵也盡然知言之爲兵又憯乎志因博考前載極其兩端夫志兵之薄人激烈抗憤不過無從容於世耳口兵之起其形渥焉繇是知吾祖之言爲急作誡以書於盤盂

五刃之傷藥之可平一言成疴智不能明人或罹兵道途奔救投

方效技思恐其後人或罹譖比肩狐疑借有紛解毀軏隨之故曰舌端之孽憯乎楚鐵夷竈誠謀執戈以驅掩人誠智折巽以(一作之)詈賢者誨予信其有旨發言之難往古猶爾辨爲詐媒默爲德基玉櫝不啟焉能瑕疵韡縻深居孰謂可嗤我誡於口惟心之門無爲我兵當爲我藩以慎爲鍵以忍爲閽可以多食勿以多言

交難 李覯

交之難兮久矣且苟合兮爲恥昔人病於無友嗟友不可以已矣絕壑萬丈𩙪𩙪龍吟元雲遂興六合爲陰碧山嵌空虎嘯其中百獸悍慓歘然長風夫物以類感何感不致交以心契何契不祕然孰可久之契先古稱利言求於斯不可易易二氣陶甄曰人是先足矩地首規天大樸摧積六情入焉一與一奪失其自然積有億年人增險艱使我行無所之居無所安末流濺濺潰我素源源無清流棄沈逐浮詐色自伐僞心相求睢盱竭歡未竟成讎一日銷落速如凜秋朝榮無遺俗態豈亞獨見神岳寒柏千尋無僑直天

而生高干斗牛下睨羣植匪堪與侔可者爲交窮達不偷樂亦同樂憂亦同憂生死循環其道率由破産作惠不爲相酬如斯之謂也昔夷吾九合之策知者不孤巨卿千里之哭今也則無石父解縛於齊相智詧負暫於賈夫賈夫信徵其可及乎知我則友何徵之居古人奉交多不獲全耳餘之初刎頸慨然隱憫就辱激昂自堅及其據兵而坐勢不相果白刃可吹赤心乃攜憑怒相殺氣干虹蜺嗚呼噫戲交之難兮以利苟合忿深咆哮余常誠之不妄語交矧今之人兮實蒙虺蜥是故獨處兮而悲蠨蛸若殺者可振子願言與鄰騶吾祖之駕棒仲尼之輪義者友其義仁者師其仁不其善歟何滯於斯憂辛

觀八駿圖說　柳宗元

古之書有記周穆王馳八駿升崑崙之墟者後之好事者爲之圖宋齊以下傳之觀其狀甚怪咸若鶱若翔若龍鳳麒麟若螳螂然其書尤不經世多有然不足采世聞其駿也因以異形求之則其言聖人者亦類是矣故傳伏羲曰牛首女媧曰其形類蛇孔子如倛頭若是者甚衆孟子曰何以異於人哉堯舜與人同耳今夫馬者駕而乘之或一里而汗或十里而汗或數十里百里而不汗者視之毛物尾鬣四足而蹏齕草飲水一也推是而至於駿一類也今夫人有不足爲負販者有不足爲吏者有不足爲士大夫者有足爲者視之圓首橫目食穀而飽肉絺而清裘而燠一也推是而至於聖亦類也然則伏羲氏女媧氏孔子氏是亦人而已矣驊騮白羲山子之類若果有之是亦馬而已矣又烏得爲牛爲蛇爲倛頭爲龍鳳麒麟螳螂然也哉然而世之慕駿者不求之馬而必是圖之似故終不能有得於駿也慕聖人者不求之人而必若牛若蛇若倛頭之問故終不能有得於聖人也誠使天下有是圖者舉而焚之則駿馬與聖人出矣

文粹補遺卷第七

文粹補遺卷弟八

吳江　郭麐　纂

古文一　總八首

釋疑　元行沖

客問主人曰小戴之學行之已久康成銓注見列學官傳聞魏公乃有刋易又承制旨造疏將頒未悉二經孰爲優劣主人答曰小戴之禮行於漢末馬融注之時所未覩盧植分合二十九篇而爲說解代不傳習鄭絪子幹師於季長屬黨錮獄起師門道喪康成於竄伏之中理紛挐之典志存探究靡所咨謀而猶緝述忘疲聞義能徙具於鄭志向有百科章句之徒曾不窺覽猶遵覆轍頗類刻舟王肅因之重茲開釋或多改駮仍按本篇又鄭學之徒有孫炎者雖扶玄義乃易前編自後條例支分箴石間起馬伷增革向踰百篇葉遵刪修僅全十二魏公病羣言之錯雜紬衆說之精深經文不同未敢刋正注理睽誤寧不芟礱成畢上聞太宗嘉賞賚縑千匹錄賜儲藩將期頒宣未有疏義聖皇纂業耽古崇儒高曾規矩宜所修襲乃制昏愚甄分舊義其有注遺往說理變新文務加搜窮積稔方畢具錄呈進敕付羣儒庶能斟詳以課疏密豈悟章句之士堅持昔賢特嫌知新欲仍舊貫沉疑多月擯壓不申優劣短長定於通識手成口答安敢銓量客曰當局稱迷傍觀見審累朝銓定故是周詳何所爲疑不爲申列答曰是何言歟談豈容

易昔孔安國注壁中書會巫蠱事經籍道息族兄臧與之書曰相
如常忿俗儒淫詞冒義欲撥亂反正而未能果然雅達通博不代
而生浮學守株比肩皆是眾非難正自古而然誠恐此道未申而
以獨智爲議也則知變易章句其難一矣漢有孔季産者專於古
學有孔扶者隨俗浮沈扶謂産云今朝廷皆爲章句內學而君獨
修古義修古義則非章句內學非章句內學則危身之道也獨善
不容於代必將貽患禍乎則知變易章句其難二矣劉歆以通書
屬文待詔官署見左氏傳而大好之後蒙親近欲建斯業哀帝欣
納令其討論各遷延推辭不肯置對劉歆遺書責讓其言甚切諸
博士等皆忿恨之名儒龔勝時爲光祿見歆此議乃乞骸骨司空
師丹因大發怒奏歆改亂前志非毀先朝所立帝曰此廣道術何
爲毀耶由是犯忤大臣懼誅求出爲河南太守宗室不典三河又
徙五原太守以君實之著名好學公仲之深博守道猶迫同門朋
黨之議卒令子駿負謗於時則知變易章句其難三矣子雍規玄

數十百件守鄭學者時有中郎馬昭上書以爲肅繆詔王學之輩
占答以聞又遣博士張融案經論詰融等召集分別推處理之是
非具聖證論王肅酬對疲於歲時則知變易章句其難四矣卜商
疑聖納誚於曾輿木賜近賢貽嗤於武叔自此之後唯推鄭公王
粲稱伊洛已東淮漢之北一人而已莫不宗焉咸云先儒多闕鄭
氏道備粲竊嗟怪因求其學得尚書注退而思之以盡其意意皆
盡矣所疑之者猶未喻焉凡有兩卷列於其集又王肅改鄭六十
八條張融覈之將定臧否融稱玄注泉深廣博兩漢四百餘年未
有偉於玄者然二郊之際殊天之祀此玄誤也其如皇天祖所自
出之帝亦玄慮之失也及服虔釋傳未免差違後代言之思宏聖
意非謂揚己之善掩人之名也何者君子用心願聞己過故仲尼
曰過也人皆見之更也人皆仰之是也而專門之徒恕己及物或
攻先師之誤如聞父母之名將謂亡者之德言而見壓於重壤也
故王邵史論曰魏晉浮華古道夷替洎王肅杜預更開門戶歷載

三百士大夫恥爲章句唯草野生以專經自許不能究覽異義擇從其善徒欲父康成兄子愼盜道孔聖誤諱閒鄭服非然於鄭服甚憒憒鄭服之外皆讎也則知變易章句其難五矣伏以安國尚書劉歆左傳悉遭擯於曩葉見重於來今故知二人之鑒高於漢廷遠矣孔季産云物極則變比及百年外當有明直君子恨不與吾同代者於戲道之行廢必有其時者歟僕非專經窂習章句高明不著易受輕詆頃者修撰始淹年月賴諸賢輩能左右之免致愆尤仍叨賞賚內省昏朽其榮已多何遽持一己之區區抗羣情之噂沓捨勿矜之美成自我之私觸近名之誠興犯衆之禍一舉四失中材不爲是用韜聲甘此沈默也

秋述　　杜甫

秋杜子臥病長安旅次多雨生魚青苔及榻常時車馬之客舊雨來今雨不來昔襄陽龐德公至老不入州府而揚子雲草元寂寞多爲後輩所褻近似之矣嗚呼冠冕之窟名利卒卒雖朱門之塗泥士子不見其泥矧抱疾窮巷之多泥乎子魏子獨踽踽然來汗漫其僕夫夫又不假葢不見我病色適與我神會我棄物也四十無位子不以官遇我知我處順故也子挺生者也無矜色無邪氣必見用則風后力牧是已於文章則子夏子游是已無邪氣故也得正始故也噫所不至於道者時或賦詩如曹劉談話及衛霍豈少年壯志未息俊邁之機乎子魏子今年以進士調選名隸東天官告余將行既縫裳既聚糧東人怵惕筆札無敵謙謙君子若不得已知祿仕此始吾黨惡乎無述而止

絕麟集述　　司空圖

駕在石門年秋八月愚自關畿竄浙上所著詞詩累□首題於屋壁且入前集壬戌春復自檀山至此目敗痁作火土二曜叶力攻淩可知矣冒没已多幸無大愧固非貿恨而有作也尙慮道魁釋酋見之慊然於我者葢自此集雜言實病於負氣亦猶小星將墜則芒𤑳驟作且有聲曳其後而可駭者撐霆裂月挾之而其肆其

憤固不[illegible]自戢耳今之云云況恃白首無復顧藉然後知賢英能各出胏肝以示千載亦當不免斯累邃咄咄耶知非子述

武指

劉貺

自昔議邊者推高於嚴尤班固嚴尤議曰御匈奴自古無得上策云云貺以爲嚴尤之議辨而未詳班固之論詳而未盡推而爲言周得上策秦得其中漢無策焉何以言之荒服之外聲教所不逮其叛也不爲之勞師其降也不爲之釋備嚴其守禦險其走集犯塞則有執訊之捷深入則有殪戎之勳俾其欲爲寇而不能願臣妾而未得斯御戎之上策禁暴之良算惠此中夏以綏四方周人之道也貺故曰周得上策易稱王侯設險以固其國築長城修障塞易之設險也今朔塞之上多古長城未知起自何代七國分爭國有長城趙簡子起長城以備胡燕秦亦築長城以限中外則長城之作其來遠矣秦兼天下益理城塹城全國滅人歸咎焉自漢至隋因其成業或修或築何代無之後魏時築長城議曰虜騎輕

捷風來電往塢壁未遑閉牛羊不暇收雷擊至於近郊雲飛出於塞表不得不立長城以閉之人築一步千里之城役三十萬人不有旬朔之勞安獲久長之逸始皇斥中國之戍出諸塞表匈奴不敢南下而牧馬戰士不敢彎弓而報怨貺故曰秦得中策史稱劉敬說高祖以魯元公主嫁匈奴嗣王則漢之外孫豈敢與大父爭哉假立宗女匈奴不信無益也帝欲遣魯元后泣諫曰帝惟一女柰何棄之匈奴乎由是遣宗女行又按魯元公主則趙王張敖之后也人告王反吕后言趙王以公主故不宜有此高祖曰使張敖有天下豈少乃女乎高祖審魯元公主不能止趙王之謀而謂能息匈奴之叛耶假有欲遣之辭固戲言耳且冒頓手刃頭曼躬射其母而冀其不與外祖爭強豈不惑哉然則高祖知和親不能久安而爲之者以天下初定苟舒歲月之禍以息兆人之勤爾而天姿豁達不矜智能沈謀內斷人莫之識武帝時中國康寍胡寇益鮮疏而絕之此其時也方更靡耗華夏連兵積年嚴尤以爲下策

可矣漢之失策非止用兵至於昭宣武士練習斥堠精審胡入則覆亡居則畏逼收跡遠徙窮竄海陰朝廷不遵宗周之故事乃襲奉春之過舉啟寵納侮傾竭府藏給西北方無慮歲二億七十萬賞賜之費傳送之勞尚不計焉皇室淑女賓於穹廬掖庭良人降於沙漠夫貢子女方物臣僕之職也詩曰莫敢不來享莫敢不來王傳稱荒服者來王此皆稱其來不言當往也杞用夷禮經貶其爵公及吳盟諱而不書奈何以天子之尊與匈奴約爲兄弟帝女之號與胡媼並爲戎妻烝母報子從其污俗中國之異於蠻夷者以有父子男女之别也若乃位配天地職調陰陽不能革聾昧之性使漸習華風反令婉冶之姿毁節異類其爲垢辱可勝道哉漢之君臣常莫之耻東漢至曹馬招來羌狄內之塞垣資奉所費有踰於昔百人之酋千口之長金印紫綬食王侯之俸者相半於朝牧馬之童乘羊之隷齎毳毦之資邀綾紈之利者相錯於路九州五服耒耨之所利絲枲之所生方三千里植於三千里之中散於數萬里之外人焉得不勞國焉得不貧故夷狄歲驕華夏日蹙當其强也又竭人力以征之及其服也又如是以養之病則受養强則內攻嗚呼爲羌胡服役且千載而莫之恤可不大悲哉爲政者誠能移其財以賞戍卒則吾人富矣移其爵以餌守臣則我將良矣富利歸於我危亡移於彼無納女之辱無傳送之勞此之不爲而棄同卽異與頑用嚚以夷亂華以裔謀夏變上國之風俗汩中和之正氣旣故曰漢無策焉嚴尤以古無上策焉者爲不能臣妾也聖王誠能之而不用爾秦氏無策者謂其攘夷狄而亡國也秦亡之咎非攘夷也稱漢代得下策者謂伐胡而人病人旣病矣又役人而奉之是無策也旣故曰嚴尤之議辨而未詳者也班固之論頗究其情而曰其來慕義接以禮讓使曲在彼是未盡也何者禮讓以交君子不以接小人況於禽獸夷狄乎夫奇貨內來則華夏之情蕩纖麗外散則戎羯之心生華夏情蕩出兵之源也戎羯心生侵盜之本也聖人唯此之慎不貴奇貨不寶遠物禽獸非其

土性不育器服非其所產不御豈惟贄幣不通哉至飲食聲樂不與其之故夷狄來朝坐之門外使舌人體委以食之若禽獸然不使知馨香佳味也獲其聲不列於庭廟受其貢不過楛矢獸皮不爲贄幣不爲財貨利旣小矣酬亦宜然漢氏旣習玩驕虜使悅燕趙之名倡雅質甘大官之八珍六齊使五都之文綺羅紈供之則長欲而增求絕之則滅德而招怨加以斥堠不明士卒不習是由飽豺狼以良肉而縱其獵噬疲人求其禍源接以禮讓之所致也故通貢獻則去錦繢而得毛革討負約則獲犬馬而喪士人許和親則毀禮義而順戎俗張籥使西域得摩訶兜勒曲漢武採之以爲鼓吹東漢魏晉樂則胡笛箜篌御則胡牀食則貊炙器則蠻盤祠則胡天晉末五胡遞居中夏豈無天道亦人事使之然也華人步卒也利險阻虜人騎兵也利平地彼則馳突我則堅守無與追奔無與競逐來則杜險使無進去則閉險使無還衝以長戟臨以強弩非求勝之也創之而已措彼頑凶寘之度外譬諸蟲豸方乎虺蜴知如是何禮讓之接何曲直之爭哉旣故曰班固之論詳而未盡者此也

廣陵散解　韓皋

妙哉嵇生之爲是曲也其當晉魏之際乎其音商主秋聲秋也者天將搖落肅殺其歲之晏乎又晉成金運商金聲也所以知魏云季而晉將代也慢其商弦而與宮同音是臣奪君之義也此所以知司馬氏將篡也司馬懿受魏明帝顧託後嗣反有篡奪之心自誅曹爽逆節彌露王陵都督揚州謀立荊王彪毋丘儉文欽諸葛誕前後相繼爲揚州都督咸有匡復魏室之謀皆爲懿父子所殺叔夜以揚州故廣陵之地彼四人者皆魏室文武大臣咸敗散於廣陵故名其曲爲廣陵散言魏氏散自廣陵始也止息者晉雖暴興終止息於此也其哀憤躁蹙憯痛迫脅之旨盡在於是矣永嘉之亂其應乎叔夜撰此將貽後代之知音者且避晉魏之禍所以託之神鬼也

解江靈

李翺

元和六年八月余自京還東暮宿在江濤水既平月高極明萬物潛休遠無微聲坐久夜靜目亦將瞑聞江中有如賈人相與言曰與子商遊十有餘年不識我悉託我如親相得之歡百賈誰如泰山役召予欲代予力雖不能志願如初自昔及茲未嘗汝薄利必以告害斯共度誓當結固永守終樂汝之責人慘若五刑小不順汝亦何足聽汝心好惡灼若天星動比孔某其神且明異汝者斥諂汝者榮苟不汝隨絶如詛盟人實難知堯所未易我雖受責敢喪前志利汝爲汝每憂不暨終何能成惟力所至豈不汝怨我道無二曰予虛言鬼神來棄汝實異茲翻然改作瘡疣生心洗刮不落巧蔽我長善採我惡短我如墜轡我如縛人或美我汝閃其目人或毀我汝盈其欲充汝之心飽汝之腹雖汝子孫亦所不足我實蒙頑爲汝之辱動多尤悔羸敗不啻汝既富厚享天百福筋骨堅強婢妾約綽財貨積委屋室豐渥我從此去非曰道薄願汝我

忘無盛其毒言未訖余叱之曰人生若流其可久長須臾臭死瞥若電光用心平虛天靈所臧得失是非其細如芒奚爲交爭此實不祥相歡不足其氣已僵汝行吾言可以息兵於是言者歎息吐氣掩鬱無語啟戶視之不見其處

諭業

皇甫湜

逍遙遊曰適百里者宿舂糧適千里者必聚糧此言務遠則積彌厚成安君曰千里饋糧士有飢色樵蘇後爨師不宿飽此言持不實則危一則寓論一則武經相發明其義符也故彊於內者外必勝殖不固者發不堅功不什倍不可以果志力不兼兩不可以角敵號猿貫蝨徹札飲羽必非一歲之決拾仰馬出魚理心順氣必非容易之搏拊淺闒庸種無嘉苗穢絢疏織無良帛夫欲利其獲不若優其爲獲之方若欲顯其能不若營其爲顯之道求諸人不若求諸己馳其華不若馳其實彼則趦趄於卿士之門我則婆娑於聖賢之域彼則巾車於名利之肆我則冠履於文史之囿道寢

而後進業成而後索以其勞於彼曷若勤於此以其背於路曷若鬻於家求售者聲門而衒賈致賤者深匱而俟價求聘者自容於靚妝取賄者嫌扃於密影鮪可薦也不慮綸罟之不逢橘可貢也不慮包匭之不入務出人之名安得不厲出人之器戰橫行之陣安得不振橫行之略書不干軸不可以語化文不百代不可以語變體無常軌言無常宗物無常用景無常取在殫其理覈其微賦物而窮其致謌詠者極性情之本載述者遵艮直之旨觸類而長不失其要此大略也夫比文之流其來尚矣自六經子史至於近代之作無不詳備當朝之作則燕公悉以評之自燕公已降試為子論之燕公之文如楩木柟枝締構大廈上棟下宇孕育氣象可以變陰陽而閱寒暑坐天子而朝群后許公之文如應鐘鼖鼓笙簧錞磬崇牙樹羽考以宮縣可以奉明神享宗廟李北海之文如赤羽玄甲延亘平野如雲如風有貙有虎闐然鼓之吁可畏也賈常侍之文如高冠華簪曳裾鳴玉立於廊廟非法不言可以望為羽儀資以道義李員外之文則如金轝玉輦雕龍采鳳外雖丹青可掬內亦體骨不饑獨孤尚書之文如危峰絕壁穿倚霄漢長松怪石傾倒谿壑然而略無和暢雅德者避之楊崖州之文如長橋新構鐵騎夜渡雄震威厲動心駭目然而鼓作多容君子所慎權文公之文如朱門大第而氣勢宏敞廊廡廩廄戶牖悉周然而不能有新規勝槩令人竦觀韓吏部之文如長江秋注千里一道衝飇激浪瀚流不滯然而施諸灌溉或爽於用李襄陽之文如燕市夜鴻華亭曉鶴嘹唳亦足驚聽然而才力偕鮮悠然高遠故友沈諫議之文則如隼擊鷹揚滅沒空碧崇蘭繁榮曜英揚蕤雖迅舉秀擢而能沛艾絕景其他握珠璣奮組繡者不可一二而紀矣若敷公者或傳符於帝宰或受命於神工或鳳翥詞林或虎踞文苑或抗轡荀孟或攘袂班揚皆一時之豪彥鈞硯之麟鳳今皆游泳其波瀾偃息其林藪銓其一揖之舊也而驟以論業之言動子之志誠未當也遂絕意隨計解裝退修循力行待取之儒規達先難

後獲之通理將爲勇退眞勇進也斯可尙矣子旣信余之不欺余亦貴子之不忽因源流遵業而列論焉

家訓　柳玭

夫門第高者可畏不可恃可畏者立身行己一事有墜先訓則罪大於他人雖生可以苟取名位死何以見祖先於地下不可恃者門高則自驕族盛則人之所嫉實藝懿行人未必信纖瑕微累十手爭指矣所以承世冑者修己不得不懇爲學不得不堅夫人生世以己無能而望他人用以己無善而望他人愛無狀則曰我不遇時時不急賢亦由農夫鹵莽種之而怨天澤之不潤雖欲弗餒其可得乎予幼聞先訓講論家法立身以孝弟爲基以恭默爲本以畏怯爲務以勤儉爲法以交結爲末事以棄義爲凶人肥家以忍順保友以簡敬百行備疑身之未周三緘密慮言之或失廣記如不及求名如儻來去怯與驕庶幾減過莅官則潔己省事而後可以言守法守法而後言養人直不近禍廉不沽名廩祿雖微不可易黎甿之膏血榎楚雖用不可恣褊狹之胸襟憂與福不偕潔與富不並比見家門子孫其先正直當官耿介特立不畏強禦及其衰也唯好犯上更無他能如其先遜順處己和柔保身以遠悔尤及其衰也但有暗劣莫知所宗此際幾微非賢不達夫壞名菑己辱先喪家其失尤大者五宜深志之其一自求安逸靡甘淡泊苟利於己不恤人言其二不知儒術不悅古道懵前經而不恥論當世而解頤身旣寡知惡人有學其三勝己者厭之佞己者悅之唯樂戲談莫思古道聞人之善嫉之聞人之惡揚之浸漬頗僻銷刓德義簪裾徒在廝養何殊其四崇好慢遊耽嗜麴蘗以銜盃爲高致以勤事爲俗流習之易荒覺已難悔其五急於名宦暱近權要一資半級雖或得之衆怒羣猜鮮有存者茲五不韙甚於痤疽痤疽則砭石可瘳五失則巫醫莫及前賢烱誡方冊具存近代覆車聞見相接夫中人以下修辭力學者則躁進患失思展其用審命知退者則業荒文蕪一不足採唯上智則研其慮博其聞堅其

習精其業用之則行舍之則藏苟異於斯豈爲君子

文粹補遺卷弟八

習精其業用之則行舍之則藏右與友游芸窗語于

文粹補遺卷第八

文粹補遺卷弟九

吳江　郭麐　纂

古文二 總十四首

寄言上篇　　韋端符

孺子道成人之言父母必憐誇焉非直父母也鄉人亦異而指之矣是何也非所以期孺子也待以孺子而言成人也則父母憐之如鄉人指異即有魁然成人而事孺子是何人哉其所以待之視之用何心哉移是而言小人不能爲君子固也陷乎罪誅非暴逆狠戾而窘於咽喉之空尺寸之膚受之不仁仁人不憫憐之也今有一鄉之吏遇孺子把弄土塗折挽草木則呵而批之曰何爾也成人者有妄毀淫取顧不敢動睫而過之是誠不了一鄉矣吾欲世之大人無獨見鄉吏之不了一鄉而不自見所不理無喝怒於孺子之爲而恬視魁然成人挽折大草淫取大物者本其所以待之之心從而校之天下幾蘇息

寄言下篇

今有人負病於此則其親戚者憂之聞善醫則不遠燕越而求之欲其病之速瘳若噓毛撥葉之易是直智無所施耳然則憂者雖甚不能爲也善爲者又非所憂也不憂非薄人也非其地耳彼誠善醫也安得人人而憂之必居其地而恥不能則將悉其技而爲之與憂者之心不異故病甚憂戚之得善爲之醫則幾乎平理矣不得善醫者百十旦夜坐環之而藥謀無所曉其去死喪幾何故曰憂不能爲技不習也爲者不必憂非其地也必得善爲之者處憂之之地然後知病之閒也不日矣昔之爲天下國家而病者豈無善之者耶不得處憂之之地耳漆室女誠憂矣不能爲醫也鴟夷子嘗工爲越矣陶朱公則視猶涉者之視車使常得善爲天下國家者處憂之之地何敗亡之有

學解嘲對　沈亞之

客有以今廩食之不充漕輓不勝於弊是勞遠而墮近以爲問者

子於是發憤數日故縷言而對曰昔漢徙山東豪富兼并之家以奉園邑凡百二十四萬戶又有南北東西軍及匈奴雜虜以國衆來歸者仰給於漢未聞常俟輓於吳越而後給也今以三千人食勞輸江淮歲貢三十萬斛迎流越險覆舨敗軏不得十半自渭以東督稽之官凡四十九署署吏不下百數歲費錢十千萬爲大數而部吏舟傭相踰爲姦鞭榜流血酸苦之聲相聞禁錮連歲不解歲千餘人雖赦宥而獄死者不可勝多矣甚非仁聖之所以牧人也乃者燕人叛元宗南巡巴蜀肅宗勞兵於靈武及二駕神遊代宗臨陝關中流離羸牛一轄常市錢二百千故有轉輸之法雖救一時然終轉入人於禍誠可以痛今雖未可綦去且宜以三輔粟爲貢重貧於農則耕稼自勤耕稼自勤甸服無曠土游人矣如此九年之蓄可以儲又何勞輸輓於遠哉客曰敬聞其旨

紀鴉鳴　林簡言

東渭橋有賈食於道者其舍之庭有槐焉聳幹舒柯布葉凝翠若

不與他槐等其舍旣陋主人獨以槐爲飾當乎夏日則孕風貯涼雖高臺大屋諒無慚德是以徂南走北步者乘者息肩於斯稅駕於斯亦忘舍之陋長慶元年儋言去鄜得息其下觀主人德槐之意亦高臺大屋者也洎二年去夏陽則槐薪矣屋旣漏槐且爲薪遂進他舍因問其故曰某與鄰俱賈食者也某以槐故利兼於鄰鄰有善作鵶鳴者每伺宵晦輒登樹鵶鳴几側於樹若小若大莫不懍然懼悚以爲鬼物之在槐也不日而至也又私於巫者俾於鬼語槐不去鵶不息主人有母者且瘵慮禍及母遂取巫者語後亦以稀賓致困儋言曰假爲鵶鳴滅樹殃家甚於貢鴞非聽之誤耶然屈平謇諤非不利於楚也靳尙一鵶鳴而三閭放楊震訐謨非不利於漢也樊豐一鵶鳴而太尉死求之於古主人亦不爲甚愚

寓居對　　孫樵

長安寓居闔戶諷書悴如凍灰癯如槁柴志枯氣索悒悒不樂一旦有曾識面者排戶入室咤駭唧唧且曰憊耶餓耶何自殘耶則對曰樵天付窮骨宜安守拙無何提筆入貢士列搜文倒魄讀書爛舌十試澤宮十黜有司知己日懈朋徒分離矧遠來關東橐裝鎻空一入長安十年屢窮長日猛赤餓腸火迫滿眼花黑晡西方食暮雪嚴冽入夜斷骨穴衾敗褐到曉方活古人取文其責蓋輕一篇跳出至死馳名今人取文章章責奇一句戾意全卷鮮知言念每歲徂春背暑洗剔精魂澄拓襟慮曉窗夜燭上下雕斲撫言必高儲思必深字字磨校以牢知音況榮辱撓其外得失戕其內機穽在乎足鋒刃在乎背吾非檻豕籠雞其能窮而反諛乎客退遂書几作歌曰肥於貌孰與肥其道求於人孰與求其身處乎出乎孰爲得而孰爲失乎

罵僮志

孫樵旣黜於有司怱悒乎若病酲之未醒茫洋詡癡人之瞑行據牀隱几戃然不寐二僮以樵尙甘於眠偶語戶閒且曰吾聞他舉

進士者有門吏諸生爲之前焉有親戚知舊爲之地焉走健僕囊大軸肥馬四馳門門求知所至之家入去如歸閽者迎屈引主人出取卷開讀喜歎入骨自某至某如到一戶口口附和不敢指破親朋扳聯聲光爛然其於名遂進取如掇今主遠來關東居長安中進無所歸居無所依忽割口食以就卷軸冒暑觸雪攜卅藉謁所至之門當闕迎嗔俯眉與語受卷而去望一字到主人目且不可得矧其開口以延乎時或不棄而遇主人雖心於公是者當開緘引讀苟合心曲又曰彼何人耶彼何自耶況所爲幽拙大與時闊凡爲世人婉顏巧脣望風趨塵以售其身則必淡面鈍口戇揖凝步昧於知幾買嫌於時凡爲讀書東獵西漁粗知首尾則爲有餘則必燈前月下寒朝暑夜磨礲反覆期入聖域徒苦其神孰裨其身凡爲文章拈新摘芳鼓勢求知取媚一時則必攏落尖新期到古人上規時政下達民病句句淡澀讀不可入徒乖於衆孰適於用凡爲造謁去冷附熱大求其力小求其得則必權門掃迹寂寞是適所至之處雀羅在戶人皆嫌去愈恭好慕凡爲結交搜羅傑豪相醉以酒相飫以庖則必屑去溫燠膠牢淡泊時或叢處凍冷徹曙晨起散去潔腹出戶迨暮如故學獵古今不爲衆譽文近于奇不爲人知九試澤宮九黜有司十年輦下與窮爲期一歲之間幾日晨炊飢不飽菜寒無襲衣此皆自掇何怨於時浪死無成孰與歸耕言始及是樵閭起喜二僮邊匿呼諭不得遂敲几而歌曰彼以其勢我專吾勤彼以其力我勤吾學學之不修骨肉如仇學之苟修四海何讐噫吾之所貴僮之所薄吾之所惡僮之所樂僮何知吾豈獨無時

悲摯獸　皮日休

匯澤之場農夫持弓矢行其稼穡之側有苕頃爲農夫息其旁未久苕花紛然不吹而飛若有物娭視之虎也跳踉哮㘎視其狀若有所獲負不勝其喜之態也農夫謂虎見己將遇食而喜者乃挺矢厯形伺其重娭發貫其腋雷然而踣及視之枕死麕而斃矣意

者謂獲其廬將食而嫉將嫉而害曰休曰噫古之士獲一名受一位如已不足於名位而已豈有喜於富貴娛於權勢哉然反是者獲一名不勝其驕也受一位不勝其傲也驕傲未足於心而刑禍已滅其屬其不勝任與夫獲死廬者幾希悲夫吾以名位爲死廬以刑禍爲農夫庶乎免於今世矣

記稻鼠　陸龜蒙

乾符已亥歲震澤之東曰吳興自三月不雨至於七月當時汙坳沮洳埃壒塵教權檝支派者入扉屨無所汙農民轉遠流漸稻本晝夜如乳赤子欠欠然救渴不暇僅得葩拆穗結十無一二焉無何羣鼠夜出嚙而僵之信宿食殆盡雖廬守版擊毆而駭之不能勝若官督戶責不食者有刑當是而賦索愈急棘束械榜箠木肌頸者無壯老吾聞之於禮曰迎貓爲食田鼠也是禮闕而不行久矣田鼠知之後歟物有時而暴歟政有貪而廢歟國語曰吳稻蟹不遺種豈吳之土鼠與蟹更伺其事而效其力殲其民歟且魏風以碩鼠刺重歛碩鼠斥其君也有鼠之名無鼠之實詩人猶曰逝將去汝適彼樂土况乎上捃其財下啗其食率一民而當二鼠不流浪轉徙聚而爲盜何哉春秋蟲蝝生大有年皆書是聖人於豐凶不隱之驗也余學春秋又親蒙其災於是乎記

記錦裾　按裾字從宋刻蜀本改

侍御史趙郡李君好事之士也因余話上元瓦官寺有陳後主羊車一輪天后武氏羅裾佛幡皆組繡奇妙李君乃出古錦裾一幅示余長四尺下廣上狹下闊六寸上減下三寸半皆周尺如直其前則左有鶴二十勢若飛起率曲折一脛口中含莩蘤背右有鸚鵡聳肩舒尾數與鶴相等二禽大小不類而隔以花卉均布無餘地界道四向五色間雜道上累細鈿點綴其中微雲瑣結互以相帶有若駮霞殘虹流煙墮霧春草夾徑遠山截空壞牆古苔石泓秋水印丹浸漏粉蝶塗染盤紆環佩雲隱涯岸濃澹霏拂靄抑冥密始如不可辨別及諦視之條段斬絕分畫一一有去處非繡非

繪縝緻柔美又不可狀也裏用繒緣下製綫佝如舊兩旁皆解散蓋拆滅零落僅存此故耳縱非齊梁物亦不下三百年矣昔時之工如此妙也曳其裾者復何人歟因筆之爲辭繼於錦譜之後俾善詩者賦之

招野龍對

昔豢龍氏求龍之嗜欲幸而中焉得二龍而飲食之龍之於人固異類以其若己之性也故席其宮沼百川四瀆之不足游甘其飲食洪流大鯨之不足味施施然擾擾然其愛弗去一旦値野龍奮然而招之曰爾奚爲者茫洋乎天地之間寒而蟄陽而升能無勞乎誠能從吾居而晏乎野龍矯首而笑之曰若何齪齪乎如是耶賦吾之形冠角而被鱗賦吾之德泉潛而天飛賦吾之靈嘘雲而乘風賦吾之職抑驕而澤枯觀乎無極之外息乎大荒之墟窮端倪而盡變化其樂不至耶今爾苟容於蹏涔之間惟泥沙之是拘惟蛭螾之與徒牽乎嗜好以希飲食之餘是同吾之形異吾之樂

者也狎於人陷其利者扼其喉臠其肉可以立待吾方哀而援之以手又何誘吾納之陷穽耶爾不免矣野龍行未幾果爲夏后氏之醢

題神羊圖　羅隱

堯之庭有神羊以觸不正者後人圖形像必使頭角怪異以表神聖物噫堯之羊亦猶今之羊也但以上世淳樸未去故雖人與獸皆得相指令及淳樸銷壞則羊有貪很性人有刲割心有貪很性則祟軒大廈不能駐其足矣有刲割心則雖邪與佞不能舉其角矣是以堯之羊亦猶今之羊也貪很揺其正性刀匕制其初心故不能觸阿諛矣

本農

有覆於上者如天戴於下者如地而百姓不之知有恩信及一物敎化及一夫民則歸之其猶旱歲與豐年也豐年之民不知甘雨柔風之力不知生育長養之仁而曰我耕作以時倉廩以實旱歲

之民則野枯苗縮然後決川以灌之是一川之仁深於四時也明矣所以鄭國哭子產三月而魯人不敬仲尼

丹商非不肖

理天下者必曰陶唐氏必曰有虞氏嗣天下者必曰無若丹朱無若商均是唐虞爲聖若丹商爲不肖矣天下知丹商之不肖而不知丹商之爲不肖不在於丹商也不知陶虞用丹商於不肖也夫陶虞之理大無不周幽無不照遠無不被苟不能肖其子而天下可以肖乎自家而國者又如是乎蓋陶虞欲推大器於公共故先以不肖之名廢之然後俾家不自我而家而子不自我而子不在丹商之肖與不肖矣不欲丹商之蒙不肖之名於後也其肖也我既廢之矣其不肖也不淩遁於人是陶虞之心示後代以公共仲尼不泄其旨者將以正陶虞之教耳而猶湯放桀武王伐紂焉

婦人之仁

漢祖得天下而良平之功不少焉吾觀留侯破家以讐韓曲逆束身以歸漢則有爲之用先見之明又何以加焉史遷則曰張良若女子而陳平美好是皆婦人之仁也外柔而內狡氣陰而志忍非狡與忍則無以成大名無他柔弱之理然也嗚呼用其似婦人女子者猶若是況眞用婦人之言哉不得不畏

文粹補遺卷弟九

吳江　郭麐　纂

碑一 總七首

段干木廟記 并序　盧士牟

陝之芮東有祠瞽於道曰魏文侯師段干木廟謹按史傳語文侯過其廬必式呂覽云秦攻芮司馬康以先生深諫其君又按圖經云先生以原上草廬中高枕而臥秦遂解兵昔子貢救魯挾辯詐扶危主然後僅而獲免豈若先生靡勞師徒曠然晏息而國不加害民受其賜誠以德充氣融道義純備者矣貞觀元年秋八月七日將仕郎前守河南府伊陽縣主簿范陽盧士牟載想遐蹤願誌遺廟銘曰

鼎河在南中條在北洪河橫流以紀魏國天地淑靈山澤粹精惟公克生爲魏之楨鄰不加兵民用舒寧秦號虎狼役厲重傷毒螫斷斷侵軼西疆瞻我仁人沛然知方以義以暴以柔以剛善師不陣古稱至德先生晏然婆娑偃息蓬居草廬是敬是式比彼干戈俄成禮則士之生世人爵爲貴功成不居惟德之懿士之避土或蹈退裔公則靖民以義爲利我行其野祠宇巋然播詠仁風精誠若傳條山如礪河水如帶先生之德永永不昧

九成宮醴泉碑銘 并序　魏徵

維貞觀六年孟夏之月皇帝避暑於九成之宮此則隋之仁壽宮也冠山抗殿絕壑爲池跨水架楹分巖竦闕高閣周建長廊四起

棟宇膠葛臺榭參差仰視則迢遰百尋下臨則崢嶸千仞珠璧交映金碧相輝照灼雲霞蔽虧日月觀其移山迴澗窮泰極侈以人從欲良足深尤至於炎景流金無鬱蒸之氣微風徐動有淒清之涼信安體之佳所誠養神之勝地漢之甘泉不能尚也皇帝爰在弱冠經營四方逮乎立年撫臨億兆始以武功一海內終以文德懷遠人東越青邱南踰丹徼皆獻琛奉贄重譯來王西暨輪臺北拒元闕並地列州縣人充編戶氣淑年和邇安遠肅羣生咸遂靈貺畢臻雖藉二儀之功終資一人之慮遺身利物櫛風沐雨百姓爲心憂勞成疾同堯肌之如腊甚禹足之胼胝鍼石屢加腠理猶滯爰居京室每弊炎暑羣下請建離宮庶可怡神養性聖上愛一夫之力惜十家之產深閉固拒未肯俯從以爲隋氏舊宮營於曩代棄之則可惜毀之則重勞事貴因循何必改作於是斵彫爲樸損之又損去其太甚葺其穨壞雜丹墀以砂礫間粉壁以塗泥玉砌接於土階茅茨續於瓊室仰觀壯麗可作鑒於既往俯察卑儉永垂訓於後昆此所謂至人無爲大聖不作彼竭其力我享其功者也然昔之池沼咸引谷澗宮城之內本乏水源求而無之在乎一物既非人力所致聖心懷之不忘粵以四月甲申朔旬有六日己亥上及中宮歷覽臺觀閒步西城之陰躊躇高閣之下俯察厥土微覺有潤因而以杖導之有泉隨而涌出乃承以石檻引爲一渠其清若鏡味甘如醴南注丹霄之右東流度於雙闕貫穿青瑣縈帶紫房激揚清波滌蕩瑕穢可以導養正性可以澂瑩心神鑒映羣形潤生萬物同湛恩之不竭將元澤之常流匪惟乾象之精蓋亦坤靈之寶謹按禮緯云王者刑殺當罪賞錫當功得禮之宜則醴泉出於闕庭鶡冠子曰聖人之德上及太清下及太寧中及萬靈則醴泉出瑞應圖曰王者純和飲食不貢獻則醴泉出飲之令人壽東觀漢紀曰光武中元元年醴泉出於京師飲之者痼疾皆愈然則神物之來實扶明聖既可蠲茲沈痼又將延彼遐齡是以百辟卿士相趨動色我后固懷撝挹推而弗有雖休勿休不徒

聞於往昔以祥爲懼實取驗於當今斯乃上帝元符天子令德豈臣之末學所能丕顯但職在記言屬茲書事不可使國之盛美有遺典策敢陳實錄爰勒斯銘其詞曰

惟皇撫運奄壹寰宇千載應期萬物斯覩功高大舜勤深伯禹絕後光前登三邁五握機蹈矩乃聖乃神武克禍亂文懷遠人書契未紀開闢不臣冠冕並襲琛贄咸陳大道無名上德不德元功潛運幾深莫測鑿井而飲耕田而食靡謝天功安知帝力上天之載無臭無聲萬類資始品物流形隨感變質應德效靈介爲如嚮赫赫明明雜遝景福葳蕤繁祉雲氏龍官龜圖鳳紀日含五色烏呈三趾頌不輟工筆無停史上善降祥上智斯悅流謙潤下潺湲皎潔蓱旨醴甘冰凝鏡澈用之日新挹之無竭道隨時泰慶與泉流我后夕惕雖休勿休居崇茅宇樂不般遊黃屋非貴天下爲憂人玩其華我取其實還淳反本代文以質居高思墜持滿戒溢念茲在茲永保貞吉

唐陳州龍興寺碑并序　張說

觀夫廣大無相者虛空也四輪倚之而住精微無體者佛性也萬法因之以生聖人有以見三界成壞皆有爲殼故剖之以戒犇聖人有以見六趣輪迴是無明網故決之以定刃爍寶光之慧炬沛善利之慈舟返迷路率於中道徛橫流登於彼岸以言乎眞實之要總攝一乘以言乎天地之閒曲成萬物大矣哉道心包舉等太虛而無際法教流通彌曠劫而常在則有乘如來方便出應化門用大士因緣處帝王位俾庶類咸若謂之光宅天下令衆生修善名爲莊嚴佛國龍興寺者皇帝卽位之歲溥天之所置也唐祚中微周德更盛歷載十六姦臣擅命伯明氏有盜國之心一闡提有害聖之跡皇上操北斗起東朝排閶闔運扶搖張目而叱之殷乎若震雷發地歘虩翕響以克彼二凶赫然若太陽昇天睎熙仰象以復我萬邦返元后傳國之璽受光武登壇之玉尊祖繼宗郊天祀地之理旣洎修書布新改物班瑞之典又備乃考出世之法鼓

唐陳州龍興寺碑并序

張說

大雄之事入無功用之品住不思議之力一光所燭庶兆爲之清涼一音所宣大千爲之震動雲蒸風靡不崇朝而壞衣涌墖徧天下矣陳州者上古太皞之虛近代淮陽之地置守則列爲郡封王則建爲國本其風俗豪侈靡麗舊矣詡東門之下接袂成帷觴宛邱之上袨服成市信豫州之郊一都會也刺史南陽韓府君名琦其爲邦也勝殘去殺聖主之得賢臣別駕彭城郡王名隆業其從政也能肅而恭高陽之有才子長史南陽張齊賢儒林之選也司馬河南雲盈公族之良也士曹從事八人錄事參軍于璆爲稱首六屬官人二十五人宛邱縣令崔修已爲稱首或以藝榮或以門進高車一轍美利同人禮舉刑清於是乎在因邦甸積稔之蓄偶日月再且之初欽若王言建立靈寺上略其趾下務其終百工不勸而亟庶役不徵而會經始如雲成之不日夫其帶四郭五衢之陌踞重墉闤闠之端福地砥平長垣雲矗高門有閌大廈斯飛連廊曲閣交軒對霤木磨而不雕土塗而不飾壯無僭侈以約費爲功儉無偪陋以靜居爲寶法王宮殿近寶花之城菩薩伽藍住金燈之地亦猶是也上座處元寺主眞度維那守愼等戒珠如月獨潔麒麟之行法寶如山普聞獅子之吼克諧善衆厎定神居甘露飽而滿盈天香醉而圍繞於時陳項之老髮衣而博帶皤皤然相造而諏曰久矣吾黨之惑也倥侗顓蒙情嗜橫放恚愛我業聰明不開日有忘其生生月無覺其滅滅一息之漏可勝言哉而今舉足至于道場申儆及于淨土晝則目禪誦之事夜則耳鐘梵之音何悟是生晚臻斯樂豈不思天子之至仁乎惻下人之昏墊適上聖之昭軌假有相之途詣無生之理灑冥澤於已滅薦元根於未始百靈之所歸依萬宇之所欣喜非獨陳而已矣蓋神闢天聖開地代之祖也纂帝寶基皇統孝之主也殄獝狂破魔孽威無外也廣正典紹度門德無大也通幽洞明兼麤該精滂洋而行混濩厥成一收功而四善舉一推心而羣願立咨如是則龍興之化曷有量矣夫業可大而蕪沒焉不貽於後事可尊而苞蘊焉不述於代

臣子之罪也敢請圖之然言語之不到者心識之不到者眞如二乘聞之而不見十地見之而未了而我云何能知能說竊比六時之烏七寶之樹是出乎和雅音聲是讚乎微妙功德記其在處長者之金園銘其事因育王之石柱其詞曰

聖皇在上於昭于天唐雖舊邦其命維新龍興返政滅二暴臣少康非儗於舜爲鄰皇王烝哉其一於廓元教生人戶牖神化洒心小大稽首掌擎萬域潛移仁壽三代之前蓋未會有最上乘哉其二決泱陳服韓侯道之奕奕寶坊邦人造之天龍護持賢聖熙熙受福維祺帝心則怡至理興哉其三

平淮西碑并序

韓愈

天以唐克肖其德聖子神孫繼繼承承於千萬年敬戒不怠全付所覆四海九州罔有內外悉主悉臣高祖太宗既除既理高宗中睿休養生息至於玄宗受報收功極熾而豐物衆地大孽牙其閒肅宗代宗德祖順考以勤以容大慝適去稂莠不薅相臣將臣文恬武嬉習熟見聞以爲當然睿聖文武皇帝既受羣臣朝乃考圖數貢曰嗚呼天既全付予有家今傳次在予予不能事事其何以見於郊廟羣臣震懾奔走率職明年平夏又明年平蜀又明年平江東又明年平澤潞遂定易定致魏博貝衛澶相無不從志皇帝曰不可究武予其少息九年蔡將死蔡人立其子元濟以請不許遂燒舞陽犯葉襄城以動東都放兵四劫皇帝歷問於朝一二臣外皆曰蔡帥之不廷授於今五十年傳三姓四將其樹本堅兵利卒頑不與他等因撫而有順且無事大官臆決唱聲萬口和附并爲一談牢不可破皇帝曰惟天惟祖宗所以付任予者庶其在此予何敢不力況一二臣同不爲無助曰光顏汝爲陳許帥維是河東魏博郃陽三軍之在行者汝皆將之曰重胤汝故有河陽懷今益以汝維是朔方義成陝益鳳翔延慶七軍之在行者汝皆將之曰弘汝以卒萬二千屬而子公武往討之曰文通汝守壽維是宣武淮南宣歙浙西四軍之行於壽者汝皆將之曰道古汝其觀察

鄂岳曰愬汝帥唐鄧隨各以其兵進戰曰度汝長御史其往視師曰度惟汝予同汝遂相予以賞罰用命不用命曰弘汝其以節都統諸軍曰守謙汝出入左右汝惟近臣其往撫師曰度汝其往衣服飲食予士無寒無飢以旣厥事遂生蔡人賜汝節斧通天御帶衛卒三百凡茲廷臣汝擇自從惟其賢能無憚大吏庚申予其臨門送汝曰御史予閔士大夫戰甚苦自今以往非郊廟祠祀其無用樂顏胤武合攻其北大戰十六得柵城縣二十三降人卒四萬道古攻其東南八戰降萬三千再入申破其外城文通戰其東十餘遇降萬二千愬入其西得賊將輒釋不殺用其策戰比有功十二年八月丞相度至師都統弘責戰益急顏胤武合戰益用命元濟盡并其眾洄曲以備十月壬申愬用所得賊將自文城因天大雪疾馳百二十里用夜半到蔡破其門取元濟以獻盡得其屬人卒辛巳丞相度入蔡以皇帝命赦其人淮西平大饗賚功師還之日因以其食賜蔡人凡蔡卒三萬五千其不樂為兵願歸為農者

十九悉縱之斬元濟京師冊功弘加侍中愬為左僕射帥山南東道顏胤皆加司空公武以散騎常侍帥鄜坊丹延道古進大夫文通加散騎常侍丞相度朝京師道封晉國公進階金紫光祿大夫以舊官相而以其副總為工部尚書領蔡任旣還奏羣臣請紀聖功被之金石皇帝以命臣愈臣愈再拜稽首而獻文曰

唐承天命遂臣萬邦孰居近土襲盜以狂往在玄宗崇極而圮河北悍驕河南附起四聖不宥屢興師征有不能克益戍以兵夫耕不食婦織不裳輸之以車為卒賜糧外多失朝曠不嶽狩百隸怠官事忘其舊帝時繼位顧瞻咨嗟惟汝文武孰恤予家旣斬吳蜀旋取山東魏將首義六州降從淮蔡不順自以為強提兵叫讙欲事故常始命討之遂連姦鄰陰遣刺客來賊相臣方戰未利內驚京師羣公上言莫若惠來帝為不聞與神為謀乃相同德以訖天誅乃敕顏胤愬武古通咸統於弘各奏汝功三方分攻五萬其師大軍北乘厥數倍之常兵時曲軍士蠢蠢旣翦陵雲蔡卒大窘勝

之邵陵郾城來降自夏入秋復屯相望兵頓不勵告功不時帝哀
征夫命相往釐士飽而歌馬騰於槽試之新城賊遇敗逃盡抽其
有聚以防我西師躍入道無留者頟頟蔡城其疆千里既入而有
莫不順俟帝有恩言相度來宣誅止其魁釋其下人蔡之卒夫投
甲呼舞蔡之婦女迎門笑語蔡人告飢船粟往哺蔡人告寒賜以
繒布始時蔡人禁不往來今相從戲里門夜開始時蔡人進戰退
戮今旰而起左飧右粥為之擇人以收餘憊選吏賜牛教而不稅
蔡人有言始迷不知今乃大覺羞前之為蔡人有言天子明聖不
順族誅順保性命汝不吾信視此蔡方孰為不順往斧其吭凡叛
有數聲勢相倚吾強不支汝弱奚恃其告而長而父而兄奔走偕
來同我太平淮蔡為亂天子伐之既伐而飢天子活之始議伐蔡
卿士莫隨既伐四年小大並疑不赦不疑由天子明凡此蔡功惟
斷乃成既定淮蔡四夷畢來遂開明堂坐以理之

竇建德碑　殷侔

雲雷方屯龍戰伊始有天命焉有豪傑焉不得受命而命歸聖人
於是元黃之禍成霸圖之業廢矣隋大業末主昏時亂四海之內
兵革咸起夏王建德以耕甿崛興河北山東皆所奄有築宮金城
立國布號岳峙虎踞赫赫乎當時之雄也是時李密在黎陽世充
據東都蕭銑王楚薛舉擅秦然視其刱割之跡觀其模略之大皆
未有及建德者也唯夏氏為國知義而尚仁貴忠而愛賢無暴虐
及民無淫凶於己故兵所加而勝令所到而服與夫世充銑密等
甚不同矣行軍有律而身兼勇武聽諫有道而人無拒拂斯蓋豪
傑所以勃興而定霸一朝拓疆千里者哉或以建德方項羽之在
前世竊謂不然羽暴而嗜殺建德寬容御眾得其歸附語不可同
日跡其英分雄分指盼備顯庶幾孫長沙流亞乎唯天有所勿屬
唯命有所獨歸故使失計於救鄰致敗於臨敵雲散雨覆亡也忽
然嗟夫此亦莫之為而為者歟向令遲未有統時仍割分則太宗
龍行乎中原建德虎視於河北相持相支勝負豈須臾辨哉自建

德亡距今已久遠山東河北之人或尙談其事且爲之祀知其名不可滅而及人者存也聖唐大和三年魏州書佐殷侔過其廟下見父老羣祭駿奔有儀夏王之稱猶紹於昔感豪傑之興奮弔經營之勿終始知天命之莫干惜霸略之旋隕激於其文遂碑

唐梓州慧義精舍南禪院四證堂碑銘 并序

李商隱

聖敬文思和武光孝皇帝陛下在宥七年尙書河東公作四證堂於梓州慧義精舍之南禪院圖益州靜無相大師保唐無住大師與洪州道一大師西堂知藏大師四眞形於屋壁化身作範南朝則閣號三休神足傳芳東蜀則堂名四證乃今銓義與古求徒綵札既新睟容伊穆爰命詞客式揚道風蓋惟麈玉柄於元津初流二諦隱金椎於覺路終駕一乘理在無言情殊有待慧閒雲布誰爭潤礎之功禪際河流匪競浮槎之遠旁詢地志遐考山經昆陵未曰天齊泰岳徒稱日觀定竺乾於身毒郭璞之言有徵證羅衞

於華胥王邵之書可信雖復一緣既演五夢斯呈闃寂雙林崩騰八國而心心授印盌關乾鵲之祥頂頂傳珠未待驪龍之寐吾知之矣代有人焉惟無相大師表海遐封辰韓顯族始其季妹夙挺眞機見金夫以有躬援寶刀而敗面大師得因上行豁悟迷塗載驗士風東國素稱君子旋觀沙界西方是有聖人遂西謁明師遇其堅臥餓烘一指誓續千燈火鼠衣光燭龍引燄爟如燈蠟雪若煎膏師乃引與之言歎未曾有退從谷隱惟製草衣曳屨用自牧之蕢結束引難圖之蔓農夫乍去或議栽縫雉氏云歸方鬪鑱積盌思天柱詎學水田鮮華不望於鬱泥密致那期於刻貝加以峰危鳥道林絕人蹊粱置之鹽鄰殊莫致鬱單之米界絕難通於是橡栗無求鳧茈不掘想餘糧於蓬堁調美膳於菩垣吞沙了異於羅何得塊返欣於重耳昔平輿釋子猶餌石帆隴右沙門尙餐松葉比若斯等方信莫同章仇兼瓊擁節內江分符右蜀因其百請始議一來遇羯虜亂華鑾旌外狩局皇圖於巴濮指赤縣於犍牂

猰貐磨牙鯨鯢奮鬣上皇顯圖內禪自恃眞期久披宸襟徐叩妙
鍵無慚漢室空禮清涼之臺有陋魏朝徒建須彌之殿道含九主
恩浸四生獲永固於靈根實仰資於圓智時無住大師尋休劍術
早罷鈐經韜棊運之四弓捨步陸之七箭逕欣道在罔憚人遐坎
軻汾陰飄遙益部聿來胥會默合元符本惟肅於尊顏竟克諧於
妙果優孟之同楚相不亦遼哉丑父之類齊侯竟何爲也事雖可
引義則殊歸宴坐窮邑化行奥壤頂輪降祉肉髻開祥及將寓信
衣乃誤因罷士經過九隧流落六羣彼既懸定於傳刀此亦孰驚
於胠篋壁留曲阜詎爲張伯所藏劒出豐城豈是雷華可佩適來
適去悉見悉知故得大梵下從通僊右繞臂舒百福眉曜千光靈
禽例散於覺花瑞獸常銜於忍草窗止山神且屈但送甘松藩后
絕臨空分沈水凡茲異迹未可殫論杜相國鴻漸崔僕射旰並望
切龍門情殷荷擔留迷待楯出病救攻克揚靜衆之名特峻保唐
之號蜀誠有矣楚亦宜然惟洪州道一大師古相標奇足文現異

俯愛河而利涉靡頓牛行過朽宅以銜悲頻迴象跡早從上首略
動遐心攜仁壽之薙刀振天台之錫杖遄違百濮直出三巴拂衡
岳以倘徉指曹谿而悵望都遺喻筏盡滅化城罷懸柝於頓門抗
前旌於起地披荆西襄坐樹南康有感則通無聞不聳醫龜思遇
哽虎求探化漢水之漁人奚求往哲度青蘿之獵客肯愧前修智
藏大師以松關之英梓潭之靈目廣青蓮脣飴赤果自有來而致
敬由無取以相歡綿邈星霜留連几杖初聞四句誠爲大寶之賓
末聽三幡了是無師之智遽援坐席令傳了經非取履於下邳還
稱可教異服膺於泗水更謂不如明牧前歸英人後感相紫階則
生金吐義禮白墖則盡竹書名彼四大士者皆行貫迦維名高記
莂且夫紛綸藻繪列懿氏之雲臺合沓緗囊貯聖王之蓬閣我幕
府河東公天瑞地寶甘雨卿雲總海內之風流盛漳濱之模楷號
鳴文苑陟降朝階自作我上都統以京尹輦轂之下紱冕所與本
之以強宗近親因之以豪猾大俠丙吉爲相出遇橫屍袁盎免官

[illegible]

歸逢刺客公貞能盪盡正可辟邪殷貨殖於五都無勞走馬屛椎
埋於三輔何必問羊託宿於天官假道於雒宅五年夏以梁山蟻
聚充國鴟張命馬援以南征委鍾繇以西事大張鄰援尋覆賊巢
旣而軍壘無喧郡齋多暇紗爲簪帽布是孫衾神仙中人方其攜
手風塵外物乃以關身夢裏題詩醉中裁簡臨池筆落動草琴休
至於三堅八正之言四攝六通之說則理超文外照在機先修竹
長松不曾形迹孤峰澹淵未覺親疏鄙物物以肇端自如如而取
證讃同范泰律若張融王澄徒服其嘉言孟顗不知其慧業屬者
以洪州三大師靈儀未集華構將成乃進牘求眞移書抒意江西
廉使大夫汝南公黃中秉德業尙資仁動之則瑤瑟瓊鐘鏘洋清
廟靜之則明河亮月浩蕩華池遠應同聲函緘遺貌試殿中監魯
郡鄒從古家承作繪藝有傳神授以齋修俾之雕煥情勞若病思
苦如癡拂壁但見其塵驚倚柱不知於雷震妙分塗掌巧寫應身
如安所洗之腸若見不沾之足詎同袁奮畫一室之維摩略等戴

逵寫五天之羅漢況剎懸慧義山聳長平花市分區香城轉軫龕
流迴漢梯倚重霄桂處吳剛榆邊傳說巒迴羲仲則日欲推輪門
啟蘇林則天堪倚杵斯堂也爰初置皋靡託金材或以貿償參於
棼橑如堪韜布恐劉肇以裁尙苟可當適慮蔡邕而製笛公遂養
之宏棟易以榮椽黃楠可訪於下巢翠篠罔攀於清渭漸鴻得桷
賀鸞依梁望同老氏之春臺牢若文翁之石室本乎初念逮彼成
功自一毛半菽之微至雕玉布金之麗皆不資官廩無取軍租非
飲馬之餘錢則遺盜之舊布將遺涪川習定鄜道降魔苟能浣爾
之塵勞莫不涉子之閫奧又院有緇叟族高隴西頃據方壇時稱
律虎晚修圓覺世謂義龍石磬朝吟銅瓶夜滿不扃外戶靡立中
闈公喻以傳香假其譚柄且山毛綜覈未挂支提許郭韻流偏遺
梵行斯固天機有裕世網無纓盍裹緡於縑緗可鋪舒於琬琰慁
也中兵被召上士聯榮敢同譙郡之功曹願作山陰之都講何言
此事叨謂當仁刻紅磴時尋多逢翠碣紫榛乍倚每見丹碑龍門

慕新野之能江夏服盈川之富恨不疆場俯接旗鼓親交貫其三
蜀之犀皮焚彼十重之鹿角以靈才結課用逸思酬恩來者難誣
前言不戲庶使禰衡讀後重峻文科王粲背時更昇鄉品其詞曰
熙矣無上怡然至眞壽長滴海劫遠吹塵蒼茫去聖造次求仁誰
從多轍自涉殊榛婆斯南遊達摩東止智劍拭土信珠澄水道在
肝膽化行竹葦廬阜伸拳城安得髓猗歟靜衆來隔天濤遺珪擲
組燼指求心柔管代毳掬土延陰蘚含檀鉢露灑瓊鋮鳴光天靈
倉絲地壑勢隔嚴道人同寶相梵衆來格魔軍內向犀枕金爐冰
崖雪嶂從容大寂挺拔曹谿情超地位意小天倪呦呦苑鹿喔喔
園雞融心露鏡刮膜模範末有西堂克流英盼翦拂慧炬貫穿戒
線金浦涵月瓊宮躍電雲母飄花流黃舉扇我公有命咨爾丹青
恢崇大厦寫載眞形簷垂義網戶綴元扃三生聚石九子垂鈴公
實挺姿褰涵天壤捧日孤起橫秋直上謝安麈尾王恭鶴氅灰琯
迎和霜鐘進爽六通勝範四證微詮蜂音出妙鳥偈留元傳眞得

果聚福成田遼遼鵬鶱眇眇龜年掩靄巴山繁華蜀國世界嚴靜
人天腷臆崇基式固芳音無斁長現優曇永觀摩勒

梓州道興觀碑銘 并序

總天下之事教分爲三處域中之大道居其一發軔於希夷之境
解鞍於寥廓之場覽若士之遊九垓尚隘稽豎亥之步六合非遐
徒欲洞視焦螟遙驅野馬折尺棰而求盡循白環而待窮則元篇
猶嚴空筌尚滯耕推地盡莫知象帝之家蓋杇天穿未覩谷神之
隧柔皮具紙折骨疏豪雖竭慮於九三終致迷於萬一洎飛龜藏
義猛馬垂文貫王屋之深珠方摧中冀封尖宮之合璧始會塗山
變浩劫之桑田注羣黎之耳目聞其大較未可殫論及夫祕篆抽
奇隱書詮奧摧藏鳥跡鬱勃龍光太上七言掞靈才之縹緲元中
九錫賁神物之便蕃則固可促軫求音援柯擇秀存之則總彙篇
於虛空遺之則喪輜重於修塗故泣辜庳坐之君挺紀握圖之主
何嘗不留連於太一悁悵於上元考名都爲望幸之宮因爽塏爲

集靈之地一言以蔽百代可知梓州道興觀者五帝盤遊九仙卜築銅梁對軫還疑鑄鼎之山錦浦均流未怯乘槎之水天彭割壤井絡分躔挺夏后之靈妃滯震蒙之遊女乃知君王化鳥貪是思歸力士挽牛非將適遠往者大夫遺行著文自貶於巴歌中聞協律設官作樂豈遺於渝舞照以火井潤之密房五色九苞鎮飛神鳳三毛丨一孔屢集文犀雖膏雨常需使星時入而君平至死不出靈關元彥平生未離嚴道亦中州之漭服上古之名區昔隋室以緣字騰芳赤符宣慶詩思馬邅悅閬苑之遐遊顧襃龍鱗羨喬山之僞葬爰依翠阜式寫丹邱其始也漢苑澄泉華陰移土林中夸父郎頁宏材橋畔秦皇仍分怪石取方中於絳闕摹大壯於元都臺寶九層觀惟一柱瑤房疊茸陽樹攢融俄以九縣告哀三靈改物五芝八桂芻蕘者往焉四戶三階椎埋者至矣祝融有醉回祿無厭始熸火以興端終標煙而合氣五明之扇將劫燒以爭飛十絕之幡逐崑熛而亂墜既災巢鳦亦斃池魚悲哀欲甚於戊辰

厭勝不聞於壬癸旋爲散地便接蕪城田鼠誰燻封狼莫射梧雕碧甃光風聚失於孫枝草沒彤闈浩露空溥於弟憂我國家克將威命允富貞期李出伊墟洪惟命氏檜生陳郡譌有昇仙誓牧野之辰則盤古與天皇秉鉞入咸陽之後則尊盧與栗陸輦車納萬國於堂皇攜九州於掌握彼獨夫之所廢俟明辟以攸興斯觀復建蜺旌還張翠蓋不勞置梟而鷗闍飛來無待直繩而虬堂化出三宮主籙八理威魔羅郁倘遊遽分條脫安妃乍至或送交梨開元十七年太守張公重構石臺弃投火齊九枝散影二等分光且異金華送江南之夜讖蜜同蠟炬佐洛下之晨炊號爲殊庭多歷年所元和初祆興益部釁稔坤維鍾會之窺覦劉璋之闇懦梁橫宋矢樓舞袁幢將不麥於親鄰欲卬獎於福地遂使秭瓜斷蒂董杏分株瓊蘇入燃腹之閈餽飯在柚腸之裏黃昏望斷不見青牛昧旦神興唯逢白馬殆逾三紀闕校二官開成元年連帥馮公擁蓋巴西揚麾左蜀永惟愛女名列通仙許長史之全家皆推道氣

茅東卿之繼世並有靈風乃夢寐假規丹青徃制既分趙壁兼施魏珠擬聳闕於天台狀重樓於句曲頓還舊觀且介道莊嗟乎獒鶱方留化機潛迫削墨則公輸復去飛梯則宋翟還歸或沙版仍虛或芝寮未豁或藺菖闕垂於倒井或椒聊罕遍於周垣圖石室於西崑猶資粉墨畫銀臺於東海尚渴鉛黃仙家寧有廢興人世自多休戚今皇帝駢闐靈貺合沓眞符爰顧寶臣來頒瑞節尚書河東公華嵩衡霍麟鳳龜龍霈膏雨於豐年燿福星於分野加以融徹妙闡棲照元津書聖琴言論衡綦品徵君慮悅未遠箕牙都講曲檽更聯賓閣周柱史之論上士張河間所謂仙夫有猷而九牧具瞻無待而三元共獎女道士長樂馮行眞廬江何眞靖等並下元受事大洞刊名積雪通襟高霞映抱鍊氣則縠仙留訣迴顏則桂父陳方華岳洗頭豈肯秦臺吹管陽城掉臂安能魯殿窺窗永念洪紛每勤元貺義行於得衆事集於和光郡人焦太元等若干人卓鄭遙源嚴枚遠胄懸情紫僞稟化朱陵爭攜莫逆之交共

就列眞之宇靈姿載穆景從多儀岳瀆奔趨人天雜集十洲倘見三島如昇氣轉金樞則雲歸鶩瓦漏移銅史則星入鰕簾煥冰碧以交輝儼環珖而迭映縱時更溟涬代變鴻濛於元黃未判之中存轇轕無垠之狀行眞等因標石闕來訪銀書予也五郡知名三河負氣顏延年之縱誕未能斟酌當時王子敬之寒溫徒欲保全舊物屬以魚車受寵璧馬從知子虛賦既恨別時樂職詩空勞動思況乎無仲祖之韶潤有彥輔之清羸髮短於孟嘉齒危於許隱謝文學之官之日歧路東西陸平原壯室之年交親零落方欲春臺寫望秋水凝情問句漏之丹砂餌華陽之白蜜惠而好我式契初心聊復攀逸軌以裁襟撫空懷而選義揚子雲醬瓿之說蔡伯喈甕臼之言斯文倘繫於汚隆後世何妨於知罪稽首歸命乃爲

銘曰

道實彊名先天地生淵默未眹寂寥無聲中黃立極元陽降精隱軫金闕開華玉京其一於穆猶龍誕予靈族尼山設問函關著錄開

以九籥轉之一轂乃命雲孫納于大麓其二雲孫有慶開國於唐允
文允武宜君宜王充庭犨瑞馨宇儲祥連珠合璧氣紫雲黃其三大
澤斬蛇新野得馬泗水亭長邯鄲使者乾任地上豊照天下仁及
隱微謙稱孤寡其四載犛五緯肆覲三尊虔恭寘質偃曝靈恩彌縫
宇宙把握乾坤邐迤邃宇參差妙門其五惟此左川西南奥壤古有
經始今存顯敞瑤林瓊樹銅林寶網玉女雲衣仙人露掌其六岧宮
火構爽道兵來聊於一氣示有三災壞因化往成由運開大顯寶
貝聲伯瓊瑰其七長樂犨端廬江纘美英𪊟秀蔦旋綱步紀克蹈前
武能新舊址媚此綺都鄰於錦里其八我之刋岳帝與令封青雲千
呂白日高春道心結誄天爵疇庸沈研勝韻欵至元蹤其九載念弱
齡恭聞隱語蕙纕蘭佩鴻儔鵠侶願騰華藻請事充舉如曰不然
吾將誰與其十

文粹補遺卷第十

文粹補遺卷第十

吾將誰與十[illegible]

[illegible]

文粹補遺卷弟十一

吳江　郭麐　纂

碑二　總六首

撥川郡王碑　并序　張說

珠玉無遠而登輦輅之飾寶也松栝無幽而入殿堂之構才也物

貴其用人亦如之撥川王論弓仁者源出於疋未城吐蕃贊普之王族也曾祖贊祖尊父陵代相蕃國號爲東贊戎言謂宰曰論因而氏焉公有由余之深識日磾之先見陋偏荒之韋毳慕上國之衣冠聖麻二年以所統吐渾七千帳歸於我是歲吐蕃大下公勒兵境上縱諜招之其吐渾以論家世恩又曰仁人東矣從之者七千人朝嘉大勳授左玉鈐衛將軍封酒泉郡開國公食邑二千戶周語曰犬戎樹敦守終純固今其俗獷而輕死其法折而不撓故前代無降人中土無僮僕自公拔身向化首變華風澤潞之閒始見戎州矣若夫河南胡苑坰牧所利每歲冰合虜騎是虞中軍必謀於元老亞將固選於時傑神龍三年以爲朔方軍前鋒游奕使景龍二年換右驍騎將軍開元五年兼歸德州都督使皆如故八年遷本衛大將軍改朔方節度副大使公之理兵也堅三革利五刃偶拳勇齊足力信賞罰分甘苦六轡如手千夫一心接獯獫猶蚊蚋臥沙塞如衽席薦居露食垂二十年雨畢而成師冰泮而休

卒寒風入於肌骨夜霜出於鬚鬢人不堪其勤公不改其節韓公之建三城也公洗兵諸眞之水刷馬草心之山以爲外斥而服徒安堵鄭卿之和默啜也公授館李陵之臺致饔光祿之塞以爲內候而賓至如歸九姓之亂跙于也公四月度磧過白檉林收火拔部帳納多眞種落彌川滿野懷惠忘亡漠南諸軍蹕其計也降戶之叛河曲也公千騎奮擊萬虜奔走戡翦略定師旅方旋而延陁趺跌復相嘯聚上軍敗於青剛嶺元帥沒於赤柳澗公越自新堡奔命寇場羸糧之徒不滿五百凶醜四合衆寡萬倍公殺牛爲壘噉寇爲餉決命再宿衝潰重圍連兵躡踵千里轉戰合辟訥於河外反知運於寇手方朔諸軍壯其戰矣斫摩之奔也邀於黑山口覆其精銳布思之背也追至紅桃帳掩其輜重乳泊之會剿蘭池之狂胡木盤之役繰方渠之逋寇凡前後大戰數十小戰數百算無遺策兵有全勝是以六狄逃遁三垂乂寧聲暴露於天下業光華於代載信皇威之所加亦武臣之力也故錦衣寶玉允答戎功

甲第艮田丕承錫命語其智効未甚優寵黃頭黑齒比價齊名積戰多瘡累勞生疹恩命尙藥馳往診之晉豎已深秦醫無及十一年四月五日薨於位官年六十制贈爲撥川王稱故國志其本也太常議謚曰忠由舊典昭其行也長子盧龔官封繼事業次子舊久特拜郎將十二年四月詔葬於京城之南懷遠人也太常鼓吹介士龍旆虎帳貔裘封犛殉馬吉凶之儀舉夷夏之物備長安令總徒以護事鴻臚卿序賓以觀禮哀榮之道極矣君臣之義厚矣有命國史立碑表墓吾嘗同僚敢昧遺烈銘曰

黃河接天青海殊壤舉世安俗抜俗誰放倬哉論侯利有攸往奮飛橫絕搏空直上以衆款塞因敵立勳吐蕃萬戶吟嘯成羣精感天地氣合風雲旣封酒泉乃位將軍朔方陰塞直彼獯虜帝命先鋒闞如虓虎山北加寵漢南擊鼓十數年間耀國威武我有師旅將軍鞠之我有邊甿將軍育之柳澗亡師一劒復之蘭池叛胡三戰覆之武節方壯朝露不待王爵送終宿恩未改時來世去人物

如在銘勳謚忠以告四海

唐贈丹州刺史先府君碑 并序

府君諱隲字成隲范陽方城人也張祖曰揮帝軒之允肇勳弦木錫姓上矣詩有卿士孝友史有留侯世家八葉至東漢司空皓公子宇北平太守始居范陽四葉至西晉司空華公子韙散騎常侍乃僑江左昆孫太常復歸河洛故河東有司空呰洛陽有散騎里後司空至府君十二代不失仁義矣王父諱弋周通道館學士考諱恪無祿早世府君煢生遺育四代單緒家世尙儒不及伯魚之訓外祖爲理遂讀皐陶之書以明法歷饒陽長子二尉介休主簿洪洞丞以所願乎下事乎上以所願乎上交乎下反身與人何往不順臺選貞白覆囚山南人謂是行有典刑矣昊天不弔年五十二調露元年十二月乙卯捐背於縣廨夫人長樂縣太君馮氏父威藍田丞敬修法度踐涉圖史顧復幼孤將就成立家道不殞夫人是賴百年七十有二傾背於東都康俗里第光珪說不天夙遭

閔凶又集荼蓼先王制禮不敢從滅以景龍二年七月己酉安厝於萬安山陽祔從周制也惟先君不祿俸不奉親不機杼不資身僚舊無雞黍之接況非其類乎族姻無魚菽之受況其人吏乎是全其高而善其獨也過四十始閱六籍觀詩得之厚觀書得之恒觀樂得之和觀禮得之別觀春秋得之正觀易得之元曰君子多乎哉事斯一言而已矣每誦道記三復三寶曰至人之心有以垂世又聞之太夫人云吾有子五十載非其疾無一日之憂先夫人亦云吾事夫子三十年耳無忤聲目無暴色先君子之違世也其憂戀者尊門在殯歎聖善在堂歎我諸孤無日敢忘及王母終養二祖封崇亦尚克家成遺訓矣若夫安親孝也宜家義也翼子慈也軌迹隱乎令光故當代罕耀馨香發乎潛德故明神終勞先大夫久而益榮沒而不朽蓋此景雲二年天子嘉侍臣之匪躬念前人之藴德二月乙巳詔曰故官某毓德高邁藏器下僚代載儒雅家傳清白河東佐邑長不欺之風山南覆囚溢無冤之聽徂謝永

久邱墳不飾啟玆令允貞事先朝宜崇追遠之恩以表揚名之志可贈使持節丹州刺史王澤漏乎泉壤國禮崇乎宗廟漢帝論士恨不見李牧之爲人曾子思親泣無逮楚王之厚祿道存遐往痛矣餘悲緬尋前哲之所以聞無聲於四海視不見於百代者匪銘頌歎桓麟蔡邕其則不遠嗚呼霜露交積松檟滋深兄弟永懷相顧將老胡伯虎豈敢掩大人之清陳季方何足知家君之德小子銜恤非曰能文莫假辭於他者務傳信於我也銘曰

猗嚴考用元妙體太和竭高志貞夫一戒其多孝於親正於家形於訓清厥心晦厥迹畏厥聞寶如何其謙儉孝慈皇哉褒德永世有詞

貞節君碑 井序

神功元年十月乙丑陽鴻卒於雩都縣友人沛國朱敬則清河孟乾祚范陽盧禹等哀鴻抱德沒地繼體未識考行定諡葬於舊域鴻字季翔平恩人也其先著族右北平郡大父員陽罕適玆樂土

爰定我居惟桑與梓既重世矣鴻倜儻奇傑瓌瑋博達貫涉六籍百家之書其要在霸王大略奇正大旨君親大義忠孝大節而已章句之徒不之視也嘗陋漢史地理志周禮職方志時異虛記心不厭焉乃攀恒岱浮洞庭窺河源踐岷衡稽四海之風俗算九州之險易與趙國貫高圖獻其議遇火焚盪天下壯其志而痛其事養徒閭里不應賓辟儀鳳中河北大使狄公舉鴻行厲貪鄙天子喜之用寘于吏乃尉汲曲阿主簿龍門雩都夫其屏居十年一方化德歷佐四邑諸侯觀政惜乎有大才無貴仕命也初鴻遊太學有書生山東李思言物故南館鴻傷其終遠家屬有喪無主乃駕柩車送歸東土及在曲阿敬業作難潤州籍鴻得人懸旬堅守城既陷而猶鬬力雖屈而蹈節寇義而脫之因僞加朝散大夫郎署曲阿令鴻貞而不諒詭應求伸既入邑則焚服闔門而設拒矣故得殿邦奮旅一境賴存淮海厎績勳答効功卒不言賞賞亦不及君子以爲急友成哀高義也臨危抗節秉禮也矯寇違禍明知也

保邑匱勳近仁也義以利物智以周身禮以和衆仁以安人道有五常鴻擅其四武有七德鴻秉其二大慮克就之謂貞好廉自克之謂節粤若夫子可謚爲貞節也已於是紀名垂迹表墓勒石其詞曰

倬良士縱自天辯方物殿山川厥志大哉峻剛節般義聲返旅櫬寔窮城厥德遵哉哀斯人命莫贖德不朽溫如玉軌來世哉

唐故光祿大夫右散騎常侍集賢院學士贈太子少保東海徐文公神道碑銘 并序　張九齡

夫物之所宗也莫善乎德行道之以明也莫先乎文學人倫以具體爲難世業以濟美爲貴有能兼之者其東海公乎公諱堅字元固其先東海郯人永嘉之後仕業南國因家吳興爲隋氏平陳徙族入雍今爲馮翊人也原其伯翳平水土實佐文命偃王行仁義大啟徐方因國保姓克昌厥後逮乎漢魏間出仁賢十二代祖晉江州刺史順德簡侯寍至五代祖梁直閣將軍慈源侯整整生陳始安太守綜綜生隋延州臨眞令方貴方貴生唐果州刺史孝德孝德生唐西臺舍人贈禮部尚書齊聃出入六朝載紀數百文武冠冕存沒光靈訓子克家謀孫必復賢風儒行世有其人公卽尚書府君之元子也生而濬發默識經藝粤自童齔則善文言時先府君爲沛王侍讀公之岐嶷聲振平臺王聞而延佇與之談議授簡能賦博奕惟賢門客府寮深所厭服奄遭不造十四而孤祖母金城郡君姜太夫人念其聰異誨其志學公遂刻勉詣心精微磅礴九流激昂三變景倩幼露實賴慈孫令伯大成仰由祖母上元中遭姜太夫人喪哀幾滅性制則從禮有感斯絕無聲常淚服闋州辟秀才其年登科解巾補汾州參軍事部送邊糈至於定襄軍使王本立素重公才署爲管記書奏謀算悉以咨之坐燿鋒鋩未嘗肯縈尋而換雲陽尉萬年主簿親累出爲揚府功曹振鱗將摶載躍京轂垂翼遠近有聲東南俄遷太子文學時祕閣羣籍大抵訛謬有敕召學士詳定公實在焉爲之刊緝卷盈二萬時輩絕倒

服其博達尋與李嶠等選三教珠英書成奏御拜司封員外尋加朝散大夫即拜郎中稍遷給事中以公代及文史詞不失舊雖居瑣闈尚比纓牽遂除中書舍人君子曰舜之官人也二年攷公修則天聖后實錄及文集等絕筆中宗嘉之璽書敦慰賜爵慈源縣子賚物五百段旋頁史也遷刑部侍郎加秩銀青光祿大夫轉禮部侍郎兼判戶部公久踐朝廷累登省閣舊章必練即事無疑雅不煩文深得大體雲臺高議以此歸之進封縣伯食邑五百戶兼昭文館學士受詔與天竺僧菩提流志譯寶積經及柳沖等同修姓氏系錄三教寶貢萬族有倫亟見成矣太平公主內秉國權騁馬武攸暨外收人望命公至第拒而不行惡夫佞也景雲初今上夷亂主邕東朝宮相四員時難其選二以宰臣兼領一則天子故人任良兩宮實在公矣遂除右庶子兼崇文館學士修史如故進爵東海郡公食邑二千戶遷右散騎常侍以本官兼黃門侍郎尋而即眞祿賜同三品爵崇五等道茂兩宮利君謀身舉代皆譽文以刪定格令承恩進爵二等公請迴授叔父齊莊帝用懷之遂封齊莊爲長城縣子天下義士莫不激昂焉侍中岑羲公之姻婭與其聯事深自危懼求典閒司以遠祇悔遂改太子詹事迨羲禍敗地絕嫌疑先是不交定王及此不昵岑氏見炎莫附思患預防信達人也復以親累出爲絳州歷永蘄棣衢四郡山川分位楚夏異齊公政不易宜教以因俗德化歸厚人共由之開元中會同京師遷祕書監無何轉國子祭酒皇帝稽古崇訓開堂集儒以公才學元長命登首席遂令集賢殿修撰又除右常侍以公爲學士副丞相燕公知院事綢繆顧問日月獻納恩渥尤及少有其比上將柴於岱宗詔公草其儀注定禮祀之位廣配類之儀博文約禮或沿或革言出而人伏事立而天從時議遠矣及禮畢承恩特加光祿大夫時置十銓公在分掌程不愆素且無遺才公既贊相謨猷從容諷議大鍾必諫溫樹不言啟沃盡規實致君於堯舜死生有命空比德於老彭亯年若干以開元十七年龍集己巳五月丁酉薨

於長安頒政里之私第聖人震悼君子稱嗟翌日有詔褒贈太子少保贈物若干段粟若干石特遣中使內侍伊鳳祥弔祭而別賜布帛若干端匹俾鴻臚少卿元復監護葬事官給鼓吹儀仗太常考行曰文君子曰仁而愛人敏而好學家有榮業紹其弓冶國有大事修其典章謚之曰文不亦宜乎其年冬甲子與夫人故南陽郡夫人合葬於萬年縣之少陵原先塋禮也公寬裕有禮溫良能斷智出於象外樞得其環中行之積也厚名之立也大故起自黃綬累踐赤墀五省推高連州得最事將時并位與才偕莫之夭閼也至於升堂入室探微覩奧動有禮樂之運言有雅頌之聲是惟無作作則萬物和而八音備矣蓋嘗注史記修晉書續文選大隱傳及有文集三十卷皆貧於故實博於遺訓古今通變河漢其高或藏名山或升天府亹亹然各得其所嗚呼文仲歿而其言立子產終而遺愛存公則備爲宜受戩穀保艾厥後代代守之有子曰峻嶠巍等才以雅著孝以特聞學茂高曾之科旨詞雄祖考之風

格備歷清貫皆立能名三賢德聲方賈氏無愧累葉儒訓與班門孰多咸瞿瞿如皇皇如昊天不追終身積痛求舊撰實勒諸墳道僕從述者之後敬而伸之乃爲銘曰

舜命益虞疇功帝俞偃行文教代集通儒光華鼎閥出入秦史門多長者君其最乎一其曾是好學果行洵美日就鱗成風積鵬起黃綬覆簣朱門方軌官籍正人朝稱良史二其三入承明五遷外郡道有出處心齊喜慍帝思啟沃國尚師訓屢獻箴規偏承顧問三其居常有異博而無惑綿蕝孫通銓衡叔則爲龜爲鏡立言立德胡不慭遺左右王國四其悼興冕旒哀結衣簪官供羽仗士惜人琴已矣終古平生德音松枝挂劍碑字生金五其

唐故朝議大夫高平郡別駕權公神道碑銘并序

獨孤及

開元天寶之際元宗始以公柄付三公由是台司得專其廢置其中或憑寵固位懼天下有異已者諸附離之者皆出入三臺若公

士玢生萬春歷華州刺史封千金縣公華州嗣右領軍將軍曰文獎領軍嗣永興令曰懷育公永興之嗣也奕葉之明德粹氣萃於其躬故融而爲仁行播而爲文學童子時舅氏崔湜奇其文嘗謂有何無忌之似其鄉舉也考功郎中蘇頲拔諸羣萃之中連尉湖城汾陰新繁渭南河南五縣開元二十三年拜監察御史會監祭太廟先時同事者約相與偕赴及將赴祭約者有故不至遽不暇告公曰人約我矣可先己而後信乎遂不赴坐是降爲河南府法曹君子義之初選部舊制每歲孟冬以書判選多士至開元十八年乃擇公廉無私工於文者考校甲乙丙丁科以辨論其品是歲公受詔與徐安貞王敬從吳鞏裴朏李宙張烜等十學士參焉凡所升獎皆當時才彥考判之目由此始也於是天下無兵百二十餘載搢紳之徒用文章爲耕耘登高不能賦者童子大笑公攘臂其閒以仁義爲己任片言隻字動爲學者所法時輩榮之而居家清方惟德禮是仗潤身飭吏不過經術不矯持操以游媚貴幸行

才令名以望見惲則稍稍優其俸而黜其職故天水權公幼明由新安縣令爲絳郡司馬高平郡別駕而歿同於道者皆竊歎之是歲天寶六載秋八月也歿後廿有二載歲次乙未春二月返葬洛陽故塋夫人新鄭縣君滎陽鄭氏祔焉縣君某縣某官某之孫某之子以仁儉好禮輔佐懿德彔明之風訓齊閨門壽六十五大厤二年十月某日終於丹陽初公娶於博陵崔氏生子曰驊而終新鄭以繼室生四子曰軼曰申曰器曰舒舒不幸短命驊軼申器悉忠信好學善屬文位未顯而令名歸之慶之垂訓之流也至是旣卜宅兆驊等懼日月逾遠後裔不知其先人之德善謂及忝鄉舉之舊故使錄而銘之云公諱徹字幼明隴西天水人也權氏之先出於顓頊其遠祖殷武丁之小子生而有文在手曰權因以權受封且命氏焉至周爲楚武王所滅國除其後有仕隴西者遂家於天水歷漢魏晉宋閒子孫世都尉爲郡守至裔孫翼與王景略同佐苻堅官至僕射後僕射數世至景宣景宣生士玢並知名於時

威作福者忌之由是官從而階不遷從法曹數歲而後有新安之
拜及至歷絳郡高平任愈疏遠安貞中立未嘗易方虛舟其心與
位升降春秋六十四而終蓋道之行止與時不并論者以漢梁叔
敬桓君山爲比公所著文二十卷其立言之宗趙郡李華編而序
之若世系事業則書諸斯文其文曰
咺兮權公有德有言忠恕廉清道直而溫行有餘力言足成文居
官釐績勤約是守與明以信盡黜不苟跡屈志伸義彰身後冉政
游學左詩潘誄風流遺烈足以遺子九原與歸未由也已

唐故開府儀同三司檢校兵部尚書兼左驍衛上將軍
充大内皇城留守御史大夫上柱國南陽郡王贈某
官碑文銘并序

元稹

南陽王姓張氏諱奉國本名子良以某年月日薨於家其子岌哭
於其黨曰唐制三品以上歿既葬碑於墓以文其行我父當得碑
家且貧無以買其文卿大夫誰我肯哀者由是因其舅捧南陽所

受制誥凡八通歷抵卿大夫之爲文者予與焉予故聞南陽王忠
功每義之然其請明日子岌肤其故聞官閥以告曰我南陽西鄂
人我高祖盈左武衛將軍閑廄使我曾祖蘭朝散大夫沙州別駕
我祖景春朝請大夫太僕少卿我父南陽王太僕府君之第某子
也少學讀經史子至古今成敗之言尤所窮究遂貫穿於神樞鬼
藏之閒而盡得擒縱弛張之術矣大麻末始以戎服事郭汾陽於
邠建中中以騎五百討希烈於蔡遭太夫人喪號叫請罷遂克終
制僕射張建封以壽帥移於徐始以渦口三城授於我僕射歿而
徐師亂子乘亂以自立王不忍討以師二萬歸於潤德宗異之詔
召至京授侍御史復職於浙西就加御史中丞又加國子祭酒是
元和之元年也二年李錡叛王擒之以獻加檢校工部尚書兼右
金吾衛將軍御史大夫上柱國進封南陽郡王食實封一百五十
戶遂錫嘉名尋遷檢校刑部尚書充振武麟勝等州節度營田觀
察處置等使復以刑部尚書兼左金吾衛將軍御史大夫歷左龍

武統軍鴻臚卿就加檢校兵部尚書轉左驍衛上將軍充大內皇城留守以疾薨壽八十三特詔贈某官我南陽郡夫人熊氏祖元皓皇朝禮部尚書左金吾衛將軍進國公歿與嵩南陽夫人之二子也嵩任某官歿以某官尊喪制葬以某年月日於某地歿不肖能言先將軍之職官而不能知先將軍之勳業矣乞爲碑予按僕射張建封以貞元十六年薨於徐徐人立其子愔求命南陽王不義其所爲以濄之衆盡棄去由是泗濠之守皆據郡愔不能令卒帖徐由南陽王之斷其臂也元和之二年潤帥錡求覲京師既許之不克覲辱中貴人殺其臣寮以令下揚帥鍔以叛告朝廷甚憂之初錡筦鹽於潤有年矣側虐暴狠其下甚畏之而庫庾之藏以億計潤之師故南韓晉公之所教訓驁勁劒利號爲難當是時初定蜀兵始散物力未完加誅於錡甚難之憲宗皇帝不得已下誅詔不浹日露章自潤曰十月十二日錡就擒從亂者無遺餘問其狀則曰錡既叛以是月十一日命南陽王田少卿李奉仙率銳衆

以圖潤南陽王喜養士又能爲逆順言明日與二將誓所部迴討錡城守不敢出環其城是夕攻愈急錡衆壞散縋於城下遂就擒自是南陽王勳名顯於代性卑順不伐在振武時以檢儉同士卒勞苦居餘官皆謹慎專至如不及在朝廷十餘年似無功能者未嘗圖進取薨之日家甚貧幾無以葬其身天子憐之廢視朝賻布帛給班劒鼓吹以葬之嗚呼舉三十年爲言其間至將相者凡百數耳目相遠之後非其子孫能識其姓名者十不能一二焉若南陽王縛錡棄愔全徐完潤自取爵位以貽不朽無幾希矣碑於其墓不亦宜乎銘曰

在昔徐帥知於南陽付授兵柄濄俾爲防徐喪其帥徐人恃強強以愔嗣不歸其喪我欲盡殄愔亦與亡不忍自我焚其構堂我或不去愔童必猖猖甚則蹶其能久長乃挈萬衆賓於鄰疆愔果惴惴不假不狂逮及終歿全歸其吭潤錡待我不踰於行一日叛誕肆其昏荒我乃遽取歸之天王非不可殺示人不伐報愔以惠報

錡以常稱示厚薄俾之相當克勇克義不伐不揚銘於墓石以永無疆

文粹補遺卷弟十一

文粹補遺卷十一

無題

論以常稱不厚薄乎人而當克己克義不使本[illegible][illegible][illegible][illegible]以示

文粹補遺卷弟十二

吳江　郭麐　纂

碑三 總六首

鮑防碑 穆員

鄭國夫人神道碑 張說

紀信碑陰 盧藏用

唐故太尉廣平文貞公宋公神道碑側記 顏眞卿

唐洪州百丈山故懷海禪師塔銘 陳詡

杭州徑山寺大覺禪師碑銘 李吉甫

鮑防碑 并序　穆員

有唐尚書東海宣公姓鮑春秋六十九公從三十六載致政二作一三年歷官二十五凡居達官之長十二領四嶽十三州牧之寄三貞元六年秋八月景申薨於洛陽私第冬十月旬有七日從先公於北邙南原詔贈太子少保給鹵簿鼓吹旌其卒葬後三年嗣子

宗由惟中古封樹之制且曰邱壠輿年代相推幾何而平松柏與霜露相薄幾何而盡將令百代之後遊九原者徘徊不朽之烈歎息可作之美其惟金石刻乎是用建碑墓側以揚先懿公諱防字子愼河南洛陽人其先蓋夏禹之苗裔春秋時杞公子有仕齊者食采於鮑因以命氏曾祖標 證一作 皇隴州汧陽令祖仁爽雅州飛越尉贈眉州刺史父思溫彭州唐昌丞贈工部尚書皆盛德下位發祥於公天寶中天下尙文其曰聞人則重倖有德貴齒高位公賦感遇十七章以古之正 名一作 法刺譏時病麗而有則屬詩者宗而誦之舉進士高第調太子正字中州兵興全德違難辟永王去來瑱爲李光弼所致光弼上將辟兼訓授專征之命於越輟公介之始兼訓之奉光弼也以順命爲忠不及於義公知光弼之不終也諭而絕焉東越仍師旅饑饉之後三分其人兵盜半之公之佐兼訓也令必公口事必公手兵兼於農盜復於人自中原多故賢士大夫以三江五湖爲家登會稽者如鱗介之集淵藪以公故也徵

文粹補遺卷第十二

吳江 郭 篆

尚書郎優游公卿間執政者以代言之司見屬無何僻兼訓寢疾太原上以北門寄重軫念於辟思所以貳而代之者莫與公比召對勞賜寵而遣之公之至也人不知其帥之疾帥不自知其疾及其代也由亞尹中丞洎居守專征之倅各遷其任（一作各遷其長）兵自勇厲至於輯睦人自安業至於移風政自無闕至於有典代宗嘉歎之不足圖寫公形列於別殿蓋麟閣名臣之次也三載朝覲屬今上嗣位惟新大政授公紀律俾作典刑拜御史大夫旋以文武之柄方鎮爲大南國萬里俾之師長統閩越轉江南公之撫人也以家勤之以子愛之利用用之厚生生之詔加銀青光祿大夫右散騎常侍紀成績也眞拜右常侍扈從巡狩轉禮部侍郎上還鎬京展謝郊廟公預太常折無文之禮進封東海公詔徵賢良求其讜言時薦仲兄不敢違詔承詔（句絶）實蒼生利之宰臣病之與公並命考第者以爲異日故事言或有犯投之不疑焉公曰使上聞所未聞聖朝之瑞也擢居甲第每歲貢士充於王庭心爲靈龜事絕請

託京師仍歲蝗旱務殷人耗拜京兆尹詔下風行令宣政舉威革（[illegible]）難理惠周無告既而痿痺生疾陳乞遂閒上置上將軍員以待功臣先用文儒耆耄以寵其選拜右武衛上將軍厥疾加劇優詔授工部尚書致仕從家東周富天祿貴天（一作人）爵樂天命順天和以終夫天年嗚呼賢哉公德本於孝才歸於用從王牧人即戎臨事大略以忠肅慈惠沈毅莊敏爲稱喜善怒惡不必爲己論交任人必惟其終人爲羽儀出作藩翰夔夔然以家人嚴君之義屬於長兄蓋什卿之祿千乘之賦一以奉之四時賓客之事車服器用之費一以稟之公與夫人視諸孤羣從唯所授公不敢以禮秩異夫人不敢以居有私而敬公和樂之道於是乎入御史中丞武威賈全公之甥也少長於我登朝異門教切義方慈均天性故全之報也稱天下甥舅加禮焉（一作加愛焉）鄭滑節度使隴西李融公之吏也推以腹心齊厥憂寵歷佐三道其間如一故融之報也類天下賓主加歡焉於全也見公之內於融也見公之外然則公之行已與

人可知矣夫人蘭陵郡夫人蕭氏始佐公賢終成公貴及公旣沒清風如同二孤前左衛兵曹參軍殿中省進馬宗參以文學世公之業孝友繼公之志猶曰不足以抒夫罔極於是發揚垂裕之義作爲銘曰

穆穆宣公爲王藎臣終始明哲優游寵勳在昔理不逢時侚文高唱寡和長才不羣星河麗天卉木榮春羽翰方陸雲雷構屯乃佐戎師名屈道伸乃登天朝盛美惟新芃芃南國赫赫北門股肱王室父母生人執憲永式尹京作則春官主文宗（一作帝）伯侚德出捍牧圉入趨宸極望實攸并謀猷允塞賢宜翼聖道厄於命方叔元（一作貝）老冉耕所病明明天子禮優致政曳履散金頤眞葆性艮辰何遽厚夜何長歸全故邱（一作邨）鞏洛之陽貞石是勒德音孔彰於戲宣公百世不忘

鄭國夫人神道碑并序

張說

鄭國夫人者宏農楊氏之女也開元神武皇帝惠妃之母曾祖諱諶以禮樂習文爲越州司馬祖衍以折衝學武爲游擊將軍父宏以門才入仕爲雍縣丞而早卒初則天之代夫人言歸武氏曰恒安郡王生惠妃及家令忠太子僕信開元十年三月終於通化里其四月卜宅於少陵原哀子銜恤號天仰訴怨報德而未得託思齊於永慕皇帝悒鸞殿之內憂悵鶴池之外慘揚淑聲而金石刻揭高行而天地感國史司文命爲鄭志若夫清明下濟嶽瀆上昇祥會德門慶育邦媛神授孝理之性天啟聰達之心加以潤澤詩書游玩圖傳伯宗好直預戒將亡重耳羈游先稱必霸豈直漢庭音奏假借仲長之才周官禮儀咨稟宣文之學昌言嘉論有如此者螓首蟜領修眉橫波旣工嚬笑易爲容止肅䅣而不踰舒和而不倨商周革命遇屯有怡懌之顏桑霍儆予在貴無驕矜之色端容一貌有如此者紘綖祭服闕翟朝衣纂組入神翦制驚國雕胡之飯露葵之羹五齊六清三鬵七醢咸一見而洞理或不習而知和女工中饋有如此者惠妃載誕皇子在者四人驪泉多龍丹穴

皆鳳克岐克嶷頍見元凱之才實覃實訏早聞霄燭之豔亦關陰德之潛襲胎教之密傳乎又名子以義成家以禮忠者以令德爲忠信者以不欺爲信傳云去食存信信而有徵經云移孝爲忠孝則不匱周宗咸覆紀季獨存至德深圖有如此者壁司徒之妻邑其合禮南城侯之婦封其舊功況夫愼徽四德四德咸舉經綸二義二義克從歷武收繼趙之勳薩姚承配夏之慶吹凱風於椒掖外王母於梧宮盛德大業窮光極寵啟國西鄭不亦宜乎十數年間二子榮立每至四時令節六參嘉會魚軒照門龜艾交室爲壽則珠貝山積佽幣則錦綺霞飛白玉滿堂聚姻親而同有黃金作穴散鄰里而無餘君子欽其市義聖人嘉其寶儉故寢疾則飲食天厨湯藥御府匪日伊夕上宮絡繹於閨庭送終則威儀傾都車騎噎日自宮徂野中使相望於道路哀榮之盛書記罕聞猶歟所謂小君之遺美聖善之高烈者也如使後代考南史議西陵披簡牘而歎息臨山原而茫昧旌賁之道不其闕而然則外孫之碑武

擔之石非明淑之龜其何設焉辭成進御帝稱曰善顧謂尙札我其書之於是灑翰黃縑鏤字青琬雲横波蹙神變豔爛於山門鶴倚鸞翔生氣宛延於松路禮尊事絕恩榮迹遠斯又元德動天幽誠迴日之所致也誰昔未覩名言莫逮係曰

代有母德厥氏楊兮祖考爲士父爲王兮聖后中葉總萬方兮天命未改復歸唐兮賢淑啟佑繼絕亡兮宗周雖滅神女昌兮建號西鄭榮舊鄉兮魚軒翟茀盛龍光兮二子雙飛華綬章兮出入輪奐庭韡煌兮去此昭昭即茫茫兮何處詔葬少陵阜兮貴妃慈親侯王舅兮寒暑流易山川久兮古墳坡陁老樹朽兮壽宮靈寢百代守兮頌石光華千載後兮

紀信碑陰　盧藏用

長安元年鄉人白孔府君請爲紀公建立碑表府君具狀申請而州寮以爲異代風烈令式無文且懼鄉人頭會抑而不建孔府君感激忠義拘牽下僚乃歎曰吾以不才忝兹邦政至於激貪勵俗

旌孝尙忠臣子之行敎化之端也鄉人之請允有禮矣吾可以嘿歟至二年七月乃自減私俸將斵石采山以旌忠烈會有耕[字闕]一於紀公墓側居人田中得一古石磨礲俱[字闕]一但無文字其螭首及兩側龍跗文髣髴有子丹碑法生動之勢非近工所爲詢之故老莫究年代府君遂酬地主之直樹之於墓刊勒斯頌豈神明昭應有所感發哉何其幽顯之符會也鄉人奔走而觀者甚衆咸喜紀公有述幽石自彰[字闕]一以崇宰君之徽烈表至誠之必感夫減俸以旌賢至清也希古以砥節至忠也不然後[字闕]一何以仰德而立名哉乃於碑陰刊紀斯異

唐故太尉廣平文貞公宋公神道碑側記

顏眞卿

初公任監察御史持服於沙河縣屬突厥寇趙定州河朔兇懼邢州刺史黃文軌投艱於公公以父母之邦金革無避及賊至城下公爲曉陳禍福其徒有素聞公威名者乃相率而去之開元末安

西都護趙含章冒於貨賄多以金帛賂遺朝廷之士九品以上悉皆有名其後節度范陽事方發覺有司具以上聞元宗切責名品將加黜削公一無所受乃進諫焉元宗納之遂御花萼樓一切釋放舉朝皆謝公衣冠儼然獨立不拜翌日入奏元宗謂公曰古人以清白遺子孫乃卿一人而已公曰含章之賄偶不至臣門非不受也元宗深嘉歎之前碑闕焉故略述於此公第三子渾之爲中丞也方欲陳乞御製碑頌未果而中受譴責旋羯胡作亂事竟不成眞卿時忝監察殿中爲中丞屬吏故公孫儼泣請眞卿論譔之昭義軍節度觀察使尙書左僕射兼御史大夫平陽郡王薛公曰嵩以文武忠義之姿爲國保障上慕公之德業歎尙無窮次嘉儼之懇誠崇竪莫致廼命屯田郎中權邢州刺史封演購他山之石曳以百牛儁刻字之工成乎半歲磨礱既畢建立斯崇遠近嗟稱古今榮觀雖大賢爲德樹善肩限於存亡而小子何知附驥托跡於階序眞卿刺湖州之日因成文請儼刻其側而志之末及雕鐫

而第六子衡因謫居沙州參佐戎幕河隴失守介於此蕃以功累拜工部郎中兼御史河西節度行軍司馬與節度周鼎保守燉煌僅十餘歲遂有中丞常侍之拜恩命未達而吐蕃圍城兵盡矢窮爲賊所陷吐蕃素聞太尉名德曰唐天子我之舅也衡之父舅賢相也落魄如此豈可留乎遂賜以駝馬送還於朝大厤十二年十一月以二百騎盡室護歸士君子偉之乃古來所無也上欲特加超奬且命待制於側門十三年春三月吏部尚書顔眞卿記

唐洪州百丈山故懷海禪師塔銘并序

陳詡（詡一作翊）

星纏斗次山形鷲立桑門上首曰懷海禪師室於斯塔於斯付大法於斯其門弟子懼陵谷遷貿日時失紀託於儒者銘以表之西方教行於中國以彼之六度視我之五常遏惡遷善殊塗同轍唯禪那一宗度越生死大智慧者方得之自雖足達於曹溪紀牒詳矣曹溪傳衡嶽觀音臺懷讓和上觀音傳江西道一和上（闕二字）詔謚爲大寂禪師大寂傳大師中土相承凡九代矣大師太原王氏福州長樂縣人遠祖以永嘉喪亂徙于閩隅大師以大事因緣生於像季託孕而薰羶自去將誕而神異聿來成童而靈聖表識非夫宿植德本曷以臻此落髮于西山慧照和尚進具于衡山法朝律師既而歎曰將滌妄源必遊法海豈惟心證亦假言詮遂詣廬江閱浮槎經藏不窺庭宇者積年既師大寂盡得心中言簡理精貌和神峻睹卽生敬居常自卑善不近名故先師碑文獨晦其稱號行同於衆故門人力役必等其艱勞怨親兩忘故棄遺舊里賢愚一貫故普授來學常以三身無住萬行皆空邪正並捐源流齊泯用此教旨作人表式前佛所說斯爲頓門大寂之徒多諸龍象或名聞萬乘入依京輦或化洽一方各安郡國唯大師好耽幽隱棲止雲松遺名而德稱益高獨往而學徒彌盛其有偏探講肆歷抵禪關滯著未祛空有猶閡靡不緘藏萬里取決一言疑網雲張智刃冰斷由是齊魯燕代荆吳閩蜀望影星奔聆聲飈至當其餞

渴快得安隱超然懸解時有其人大師初居石門依大寂之塔次補師位重宣上法後以衆所歸集意在遐深百丈山碣立一隅人煙四絕將欲卜築必俟檀那伊蒲塞游暢甘貞請施家山願爲鄉導庵廬環遶供施荐積衆又踰於石門然以地靈境遠頗有終焉之志元和九年正月十七日證滅於禪床報齡六十六僧臘四十七以其年四月廿二日奉全身窆于西峰據婆娑論文用淨行婆羅門葬法遵遺旨也先時白光法室金錫鳴空靈谿方春而涸流杉燎竟夕以通照妙德潛感于何不有門人法正等嘗所稟奉皆得調柔遞相發揮不墜付屬他年紹續自當流布門人談叙永懷師恩光崇塔宇封土累石力竭心瘁門人神行梵雲結集微言纂成語本凡今學者不踐門閫奉以爲師法焉初閩越靈藹律師一川敎宗三學歸仰嘗以佛性有無獨風發問大師寓書以釋之今與語本並流於後學翮從事於江西府備嘗大師之法味故不讓衆多之託其文曰

梵雄設教有權有實未得頓門皆爲暗室祖師戾止方傳祕密如彼重昏忽懸白日其一唯此大士宏紹王宗雖修妙行不住眞空無假方便豈俟磨礱恬然返本萬境圓通其二百千人衆盡袪病熱彼皆有得我實有說心本不生形同示滅此土灰燼他方水月其三法傳人代塔閉山原杉松日暗寺塔猶存藹藹學徒無非及門唯能覺照是報師恩其四

杭州徑山寺大覺禪師碑銘并序　李吉甫

如來自滅度之後以心印相付囑凡二十八祖至菩提達摩紹興大教指授後學後之學者始以南北爲二宗又自達摩三世傳法於信禪師信傳牛頭融禪師融傳鶴林馬素禪師素傳於徑山山傳國一禪師二宗之外又別門也於戲法不外來本同一性惟佛與佛轉相證知其傳也無文字語言以爲說其入也無門階徑術以爲漸語如夢覺得本自心誰其語之國一大師其人矣大師諱法欽俗姓朱氏吳都崑山人也身長六尺色像第一修幹蓮敷方

口如丹燒焉若峻山清孤泊焉若大風海上故揖道德之器者識天人之師焉春秋二十有八將就賓貢途經丹陽雅聞鶴林馬素之名往申款謁還得超然自詣如來密印一念盡傳王子妙力他人莫識即日薙落是眞出家因問以所從素公曰逢徑則止隨汝心也他日遊方至餘杭西山問於樵人曰此天目山之上徑大師感鶴林逢徑之言知雪山成道之所於是蔭松藉草不立茅茨無非道場於是宴坐之久邦人有構室者大師亦因安處心不住於三界名自聞於十方華陰學徒來者成市矣天寶二祀受具戒於龍泉法脩和尙雖不現身意亦不捨外儀於我性中無非自在大厤初代宗睿武皇帝高其名而徵之授以肩輿迎於內殿既而幡幢設列龍象圍繞萬乘有順風之請兆民渴灑露之仁問我所行終無少法尋制於章敬寺安置自王公逮於士庶其詣者日有千人司徒楊公綰情遊道樞行出人表大師一見於衆二三目之過此默然吾無示說楊公亦退而歎曰此方外高士也固當順之不宜羈致尋求歸山詔允其請因賜策曰國一大師仍以所居爲徑山寺焉初大師宴居山林人罕接禮及召赴京邑途經郡國譬若優曇一現師子聲聞睎光赴響者轂擊肩摩投衣布金者卽累陵聚大師隨而檀施皆散之建中初自徑山徙居於龍興寺餘杭者爲吳東蕃濱越西境馳郵軒者數道通濱驛者萬里故中朝銜命之士於是往復外國占風之侶盡此奔走不踐門閾恥如瘖聾而大師意絕將迎禮無差別我心既等法亦同如貞元八年歲在壬申十二月二十八夜無疾順化報齡七十九僧臘五十先是一日誡門人令設六齋其徒有未悟者以日暮恐不克集事大師曰若過明日則無所及既而善緣普會珍供豐盈大師意若辭訣體無患苦遽中宵跏趺示滅本郡太守王公顏卽時表聞上爲歔欷以大師元慈默照負荷衆生賜謚曰大覺禪師海內服膺於道者靡不承問叩心悵惘號慕明年二月八日奉全身於院庭之內遵遺命也建塔安神中門人之意也嗚呼爲人尊師凡將五紀居惟一

牀衣惟一衲冬無纊氈夏不絺綌遠近檀施或一日累千金悉命歸於常住爲十方之奉未嘗受施亦不施人雖物外去來而我心常寂自象教之興數百年矣人之信道者方憍畏於罪垢愛見於莊嚴其餘小慧則以生滅爲心垢淨爲別捨道由徑傷肌自殘至人應化醫其病故大師貞立迷妄除其惷冥破一切相歸無餘道乳毒既去正味常存衆生妄除法亦如故嘗有設問於大師曰今傳舍有二使郵吏爲刲一羊二使既闕一人救一人不救罪福異之乎大師曰救者慈悲不救者解脫惟大師性和言簡罕所論說問者百千對無一二時證了義心依善根未度者道豈遠人應度者吾無雜味日行空界盡欲昏癡珠現鏡中自然明了或居多靈異或事符先覺至若飲毒不害遇疾不醫元鶴代鬬植柳爲蓋此昭昭於視聽者不可備紀於我法門皆爲妄見今不書尊上乘也弟子實相門人上首傳受祕藏導揚眞宗甚乎有若似夫子之言庚桑得老聃之道以吉甫連蹇當代歸依釋流俾筌難名強著無蹟其詞曰

水無動性風止動滅鏡非塵體塵去鏡澈衆生自性本同諸佛求法妄纏坐禪心沒如冰滅後誰證無生大士密授眞源湛明道離言說法潤根莖師心是法無法修行我體本空空非實性既除我相亦遺空病譬如乳毒毒去味正大師得之斯爲究竟何有涅槃適去他方教無生滅道有行藏不見舟筏空流大江蒼蒼遙山成道之所至人應化萬物皆覩報盡形滅人亡地古刻頌豐碑永存淵戶

文粹補遺卷第十二